# 安食材なのに

## 涙が出るほど

# おいしい
# ごはん

家族のための男飯
もんきち

JN057537

KADOKAWA

# いただきます〜！

夫・もんきち

妻・ゆかこ

## はじめに

こんにちは！「家族のための男飯」
もんきちと、妻・ゆかこです。
この本を手に取ってくださり、ありがとうございます。

初のレシピ本となる今回は、
物価高が加速する時代に
安食材をおいしく変身させるレシピを厳選しました。

また、料理が苦手な人でも失敗しない、簡単でわかりやすいレシピを考案。
ほとんどのレシピが3工程以内、しかも基本的な調味料で作ることができます。
特に「ポン酢じょうゆ」や「めんつゆ」を活用することで
酒、しょうゆ、だしなど複数の調味料を使わなくても味が決まる方法を追求しました。

さらに今は、誰もが忙しい時代。共働きである私たちもそうです。
「時短」や「作り置き」についても考え抜きました。

レシピの文章を読み込むことが苦手な人でも大丈夫！
各レシピのQRコードを読み取って動画で確認してくださいね。

私たちは「ごはんを作ることで、笑顔の連鎖が始まる」と信じています。
それは、プロの料理人でなくても、料理が得意な人でなくても、
「あなた」が作るごはんで叶えることができる。

アカウントを作ったときから掲げている「家族のための男飯」という言葉には
「料理は女性がやるもの」「男飯＝がっつり、こってり」などの固定観念をアップデートし
家族の体、手間、家計を想ったごはんを、といった願いを込めています。

これを読んでくれているあなたの料理の時間が、少しでも楽しくなりますように。
そして食事を通して、おうちの中の笑顔が増えますように。

とりむねで
なんか作って〜

# もんきちレシピのこだわり

安食材なのに、とびきりおいしい！ が本書の一番のテーマ。
それに加えて、この本を作るにあたって大事にしたポイントを紹介します。

## 1 安食材で家計にやさしい

毎日のごはんだからこそ食費は抑えておいしいものが食べたい！　そんな思いに応えるのが、もんきちレシピです。とりむねや豚こま、卵、豆腐、もやしなど、お財布にやさしい食材を使っているのに、ボリューム満点で特別感のあるメニューを紹介しています。

とりむねや
もやし、豆腐
などの安食材!

## 2 初心者でもカンタンに作れる！

レンジで
だし巻き卵も!

もんきちレシピに難しい工程やテクニックはありません。電子レンジを活用したりフライパンひとつで作ったり、料理初心者でも作れるように考えました。また、レシピの作り方には各工程を説明する一文も大きく入っているので、料理する際の参考にしてみてください。

# 3 ほとんどのレシピは 20分前後で完成！

チャーシューも！

下ごしらえから完成まで、20分前後あれば完成するレシピを多く紹介しています。調理時間が短くなるよう、下ごしらえをレンチンでしたり、ほったらかしで作れたりする炊飯器レシピも。忙しいけど、自炊でおいしいものが食べたい！という人にぴったりです。

# 4 全レシピが動画と連動！ ポイントが動画で詳しくわかる

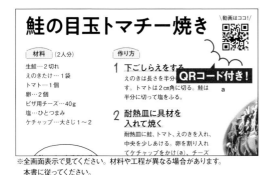

## 鮭の目玉トマチー焼き

動画はココ！

QRコード付き！

【材料】（2人分）
生鮭…2切れ
えのきたけ…1袋
トマト…1個
卵…2個
ピザ用チーズ…40g
塩…ひとつまみ
ケチャップ…大さじ1〜2

【作り方】

1 下ごしらえをする
えのきは長さを半分に切る。トマトは2cm角に切る。鮭は半分に切って塩をふる。

2 耐熱皿に具材を入れて焼く
耐熱皿に鮭、トマト、えのきを入れ、中央を少しあける。卵を割り入れてケチャップをかけ(a)、チーズ

a

※全画面表示で見てください。材料や工程が異なる場合があります。本書に従ってください。

この本で紹介しているすべてのレシピにQRコードがついていて、スマホなどで読み取るとレシピ動画を見ることができます。本書を基に作っていただきながら、写真と文字だけでは伝わらない部分などは動画を参考に！ぜひ、レシピと併せて活用してください。

### おまけ情報

**LINE公式アカウントでアフターフォローします！**

「家族のための男飯 もんきち」の公式LINEを友だち登録すると、レシピに関する質問や意見が送信できます！質問の多かったものにはもんきちが答えたり、本書のアレンジレシピを提案したりとアフターフォローがあります！

LINE

# Contents

## Part1 安食材で満足ごはん

## Part2 レンチンラクおかず

\これさえあれば！／

# もんきちスタメン調味料

安食材で簡単に作れるもんきちレシピを支える調味料を紹介。
使いやすさ、手に入れやすさを考えた７アイテムです。

## しょうゆ

しっかりとしたコクと香りがありながら、とがりがなく、まろやか。自家製ポン酢じょうゆにも使ってます。こいくちしょうゆ／キッコーマン食品

## めんつゆ

もんきちは使いやすい２倍濃縮タイプを使用。本書のレシピのめんつゆもすべて２倍濃縮です。かつお節の芳醇な香りとだしのおいしさがギュッと凝縮されています。めんつゆ／ヤマキ

## 白だし

だしのうまみとコクが欲しいというときや、淡い色に仕上げたいというときに便利。冷蔵庫に必ず常備しています。京風割烹白だし／ヒガシマル醤油

## ポン酢じょうゆ

めんつゆと相性がよく、一緒に使うことが多いです。また、ポン酢を煮詰めるとバルサミコ酢のように奥深い味になってオススメ。味ぽん®／ミツカン

## 顆粒コンソメ

洋風のスープやパスタに欠かせないコンソメ。顆粒タイプは味見をしたあとのちょい足しにも使いやすくて便利です。味の素KKコンソメ／味の素

## ガラスープの素

粒子が細かくて使いやすいがらスープの素。味付けのほか、むね肉にまぶすなど下ごしらえにも使えます。創味シャンタン 粉末タイプ／創味食品

## 赤しそふりかけ

もんきち的には、ふりかけというよりも調味料のひとつ。手軽にしその風味がつけられて、調理の幅がグンと広がります。ゆかり®／三島食品

＼気分が上がる!!／
# お気に入り調理グッズ

毎日使う道具も重要！　料理が楽しくなるお気に入りアイテムを使っています。

## へらはシリコン製

へらは熱に強いシリコン製を使用。しなりがよく、たれやソースもしっかりすくえるスプーン型が便利です。

## まな板は黒でスタイリッシュに！

カッコイイ黒のまな板は材料を切るたびに気分が上がります。木のまな板にカビがはえてしまったので買い替えました。

## トングは万能選手

フライパンに触れる部分がシリコン製のものを。菜箸よりもトングのほうが使いやすく、野菜炒めなどなんでもトングで作ります。

## 切れ味抜群！オールステンレスの包丁

見た目のカッコよさに一目ぼれして購入。専用のシャープナーで手入れをしながら、10年以上愛用しています。

## ＼レシピを見る前に…／
# お役立ちMEMO&RULE

もんきちレシピで料理を作る前に、基本的なルールとお役立ちメモをご紹介。

レシピ内の小さじ1は5㎖、大さじ1は15㎖、1カップは200㎖、米1合は180㎖です。

調理道具は特に表記がない場合、フライパンは直径26㎝、鍋は直径20㎝のものを使用しています。

塩、砂糖などの「少々」は親指と人さし指の2本でつまんだ量、「ひとつまみ」は親指、人さし指、中指の3本でつまんだ量が目安です。

オーブントースターは1000Wのものを基準にしています。W数が異なる場合は加熱時間を調整してください。

野菜や果物は特に表記がない場合は洗って皮をむき、へた、種、わたなどを除いています。

火加減は特に表記がない場合、中火です。

## 電子レンジ使用について

電子レンジは600Wのものを基準にしています。500Wなら1.2倍、700Wなら0.9倍の時間を目安に加熱してください。

### 電子レンジの加熱時間早見表

| 500W | 600W | 700W |
|---|---|---|
| 40秒 | 30秒 | 30秒 |
| 1分10秒 | 1分 | 50秒 |
| 1分50秒 | 1分30秒 | 1分20秒 |
| 2分20秒 | 2分 | 1分50秒 |
| 3分40秒 | 3分 | 2分40秒 |
| 4分50秒 | 4分 | 3分40秒 |
| 6分 | 5分 | 4分30秒 |

機種によって差があるので、様子を見ながら加減してください。

## ふんわりラップの方法

ラップの端は器の縁につけ、蒸気でふくらんだ際に破れないように、まん中をふんわりとさせてください。

# Part 1

\ ○○で作って～～！/

# 安食材で
# 満足ごはん

とりむね肉に豚こま、豆腐やもやしなど、
いつでも安く手に入る食材は家計の味方！
ボリュームおかずから、副菜、常備菜まで、
そんな安食材を使った36のレシピを紹介します。

# だし香る！
# とりむねのから揚げ

ザクッ
ジュワッ

白だしを下味にしてもみ込むから、味がばっちり決まる

## 材料 （2人分）

とりむね肉…大1枚（約350g）
白だし…大さじ2強
おろしにんにく…小さじ⅔
おろししょうが…小さじ⅔
片栗粉…適量
サラダ油…½カップ

## 作り方

### 1 とり肉を切って 下味をつける

とり肉は食べやすい大きさに切って
保存袋に入れる。白だし、にんにく、
しょうがを加えて袋の上からもむ
（a）。冷蔵室で15〜30分おく。

### 2 揚げ焼きにする

フライパンに油を入れて熱し、①に
片栗粉を薄くまぶして皮目を下にし
て入れる。約3分揚げ焼きにしたら
上下を返し、約2分揚げ焼きにする
（b）。油をきって器に盛り、好みで
レモン適量（分量外）を添える。

動画は
ココ！

油の温度が上がりす
ぎないよう弱火〜中火
でじっくり揚げ焼きに
するのがポイント！

から揚げってめんどく
さいイメージがあるけ
ど、少なめの油だか
ら作りやすいね。

a

\モミモミ〜/

ジッパーつきの保存袋がなければ普通のポリ
袋でOK。下味をしっかりもみ込んで。

b

# もんきち家の
# チキン南蛮

南蛮酢のおかげで、
しっかり味だけど
さっぱり食べられる

ゆかこの大好物！
どうしてこんなにジ
ューシーに仕上が
るの？

二度揚げにするのと南蛮
酢に漬けることで味がし
みてジューシーに仕上がる
よ。残ったタルタルは野
菜につけてもおいしい！

## 材料 (2人分)

とりむね肉…大1枚(約350g)
塩…小さじ½強(3g)
こしょう…少々
小麦粉…適量
溶き卵…1個分
サラダ油…½カップ

南蛮酢
- しょうゆ、酢…各80㎖
- みりん…大さじ1⅓
- 塩…ひとつまみ
- こしょう…少々
- 七味唐辛子
  (または一味唐辛子)…適量
- 砂糖…大さじ4

タルタルソース
- 玉ねぎ…¼個
- きゅうり…½本
- ゆで卵(10分ゆでのもの)
  …2個
- マヨネーズ…大さじ7
- 砂糖…小さじ1

\ 混ぜて〜/

a

## 作り方

### 1 南蛮酢を作る

鍋に南蛮酢の砂糖以外の材料を入れて火にかける。煮立ったら砂糖を加えて混ぜ、砂糖が溶けたら火を止めてそのままおいておく。

### 2 タルタルソースを作る

玉ねぎ、きゅうりはみじん切りにして合わせ、塩ひとつまみ(分量外)でもみ、水に約5分さらして水けをしっかりきる。ボウルにタルタルソースの材料を入れ、フォークでゆで卵を潰しながら混ぜる(a)。

### 3 とり肉を揚げ焼きにする

とり肉はひと口大に切って塩、こしょうをもみ込む。小麦粉、溶き卵の順につける。フライパンに油を熱し、とり肉の皮目を下にして入れ、2〜3分揚げ焼きにする(b)。いったん取り出して少し休ませ、再度、約2分、途中、上下を返しながら、肉に火が通るまで揚げ焼きにする。

### 4 南蛮酢に漬けて仕上げる

とり肉の油をきって熱いうちに①の鍋に入れ、約30秒ひたして南蛮酢をしみ込ませる。器に盛り、タルタルソースをたっぷりかける。好みでサラダ菜、ミニトマト(ともに分量外)を添える。

b

\ 動画はココ!/

# ヨーグルトを使わない
# タンドリーチキン

マヨケチャで
ヨーグルトいらず。
食感もやわらか！

前日仕込みもOKなので、もんきち夫婦がキャンプでもよく作る一品。あればガラムマサラとクミンを小さじ1ずつ加えると、より本格的になるよ。

漬けだれに漬けた状態で冷凍保存もできるから作り置きやお弁当にもおすすめ！

## 材料 (2人分)

とりむね肉…大1枚(約350g)
塩…小さじ²∕₃(3.5g)

漬けだれ

> ケチャップ、マヨネーズ
>     …各大さじ2強
> カレー粉…大さじ1強
> おろしにんにく、
>     おろししょうが
>     …各小さじ1～1½

サラダ油…大さじ1

## 作り方

# 1 とり肉を切って 漬けだれに漬ける

とり肉は食べやすい大きさに切って塩をもみ込む。保存袋(またはボウル)に漬けだれの材料ととり肉を入れ、袋の上からもみ込む(a)。冷蔵室で1時間以上おく。

# 2 焼く

フライパンに油を熱し、①を漬けだれごと並べる。途中、上下を返して肉に火が通るまで焼く(b)。

動画は
ココ!

a

焼き時間の目安は片面
2～3分くらい。漬け
だれが焦げやすいので
火加減に注意して。

b

＼ジュッ／

調味料はめんつゆとポン酢だけ！ うまみ＆さっぱりした仕上がりに

# 手羽先のめんつゆポン酢煮

**材料** （2人分）

とり手羽先…6本
めんつゆ、ポン酢じょうゆ
　…各¼カップ
水…½カップ

めんつゆとポン酢のダブル使いで手軽に作れるよ。煮たあとに、手羽先をいったん取り出して煮汁を煮詰めてから手羽先に絡めてもおいしい。

**作り方**

### 1 手羽先に穴をあける
手羽先はフォークで全体に穴をあける。

### 2 煮る
鍋に①、めんつゆ、ポン酢、水を入れて強火にかける。煮立ったら弱火にしてクッキングシート（またはアルミホイル）をかぶせて落としぶたをして約10分煮る。

＼動画はココ！／

# とりむねのトマチーズステーキ

## 材料 (2人分)

とりむね肉…大1枚(約400g)
塩…小さじ1弱(4g)
トマト…1個
ケチャップ…40g
とろけるスライスチーズ…2枚
オリーブオイル…小さじ2
粗びき黒こしょう…少々

\動画はココ!/

家計のお助け食材の
とりむねがしっとり
ジューシーに

## 作り方

### 1 下ごしらえをする

とり肉はフォークで全体に穴をあけ、半分に切って全体に塩をもみ込む。トマトは4等分の輪切りにする。

### 2 蒸し焼きにする

フライパンにオリーブオイルを熱し、とり肉の皮目を下にして入れる。焼き色がついたら上下を返して約30秒焼き、ふたたび上下を返して上にケチャップ、トマトをのせる。塩ひとつまみ(分量外)をふり、さらにチーズをのせ、ふたをして弱火で約8分、蒸し焼きにする。

### 3 仕上げる

竹串を刺して透明な肉汁が出たら器に盛り、こしょうをふる。

ヘルシーなのに食べごたえ抜群!!ステーキ風に仕上げるポイントは?

まずは皮目をしっかり焼いてカリッと仕上げること。弱火でじっくり蒸し焼きにするとしっとりでき上がるよ。

# 手羽先のカレースープ煮込み

## 材料 （2人分）

とり手羽先…4〜5本
塩…ふたつまみ
玉ねぎ…½個
ミニトマト…6個
A [ 顆粒コンソメ…小さじ2
カレー粉…小さじ1
水…1½カップ ]
オリーブオイル…小さじ1

## 作り方

### 1 下ごしらえをする

玉ねぎはくし形切りにする。手羽先はフォークで全体に穴をあけ、両面に塩をふる。

### 2 手羽先を焼いて煮る

フライパンにオリーブオイルを熱し、手羽先の皮目を焼く。焼き色がついたら上下を返し、玉ねぎ、ミニトマト、Aを加える。ふたをして7〜8分煮る。器に盛り、好みで食パン適量（分量外）を添える。

＼動画はココ!／

とりとトマトのうまみが
しみ出たスープが絶品

この料理には、ぜひ食パンを焼かずに添えて召し上がれ。スープに浸しながら食べるとウマい!

レンチンで簡単！ マヨ＋ポン酢ににんにくをきかせて

フォロワーさんに大人気のレシピ！ ささみがパサパサにならないレンチンのやり方を教えて〜。

酒をふりかけて、短めの加熱時間にすること。余熱で完全に火を通すのがコツ。ささみの筋はフォークで簡単に取れるよ。

# ささみとにらのマヨポンあえ

## 材料 （2人分）

とりささみ…5本（約220g）
にら…50g
酒…大さじ1

マヨポンだれ
- マヨネーズ…大さじ2
- ポン酢じょうゆ…小さじ2
- おろしにんにく
  …小さじ¼〜お好みで

## 作り方

### 1 下ごしらえをする

ささみはフォークか包丁で筋を除く。にらは5cm長さに切る。マヨポンだれの材料は合わせておく。

### 2 レンジ加熱する

耐熱ボウルにささみを入れて酒をふり、にらを上にのせる。ふんわりとラップをかけ、電子レンジで約3分30秒加熱する。そのまま2〜3分おいて余熱で蒸す（赤みが残っている場合は追加で約30秒ずつレンジ加熱する）。

### 3 仕上げる

ささみを食べやすく手でほぐし、マヨポンだれを加えてあえる。

＼動画はココ！／

# ポン酢が肝！豚こましょうが焼き

豚こま肉で
おいしい！
もんきちの
自慢レシピ

たれで肉を煮詰めるから、味がしみ込んでおいしい！玉ねぎは事前にレンチンすると火通りがよくなって肉とよく絡むよ。

## 材料 （2人分）

豚こま切れ肉…300g
玉ねぎ…½個

たれ
┌ めんつゆ、水…各大さじ3½
│ ポン酢じょうゆ…大さじ2½
└ おろししょうが…大さじ2
キャベツ、ミニトマト…各適量

## 作り方

### 1 下ごしらえをする

キャベツはせん切りにして、約5
分水にさらして水けをきる。玉ね
ぎはくし形切りにして耐熱ボウル
に入れ、ふんわりとラップをかけて
電子レンジで約1分加熱する（a）。
豚肉は大きければ食べやすく切る。

### 2 豚肉をたれで煮詰める

フライパンにたれの材料と①の玉
ねぎを入れて火にかける。煮立っ
たら豚肉を加えて（b）、上下を返
しながら煮詰める。

### 3 仕上げる

器に盛り、キャベツとミニトマト
を添える。好みでマヨネーズ（分量
外）を絞る。

ぐつぐつ

動画は
ココ！

# 味しみジュワッと
# 豚豆腐

\ジュワ〜 /

ポン酢でさっぱり。肉のうまみが
しみた厚揚げが最高!

## 材料 （2人分）

豚バラ薄切り肉…100g
厚揚げ…1枚（約250g）
えのきたけ…1袋
長ねぎ…½本
めんつゆ…大さじ4
ポン酢じょうゆ…大さじ2
水…½カップ

## 作り方

### 1 下ごしらえをする

厚揚げはペーパータオルで押さえて油をとり除き（a）、食べやすい大きさに切る。えのきはほぐし、長ねぎは1cm幅の斜め切りにする。

### 2 煮る

鍋にめんつゆ、ポン酢、水を入れて火にかける。煮立ったら豚肉を加え、肉に火が通ったら端に寄せ、あいたところに厚揚げとえのき、ねぎを加える。肉を厚揚げの上にかぶせるようにしてのせ（b）、弱火で約10分煮る。

> ホッとする味。味がしみしみでご飯に合うね〜。溶き卵につけて食べるのもおすすめ。

> 肉を煮込みすぎないように厚揚げの上にのせるのがポイント。厚揚げの油抜きは熱湯を回しかけても。

動画はココ！

# 厚揚げ豚巻きの照り焼き

とろ〜

豚バラ×厚揚げで
ボリュームおかずが完成

## 材料 （2人分）

豚バラ薄切り肉…約8枚
厚揚げ…1枚（約250g）

たれ
「めんつゆ、酒…各大さじ4
砂糖…大さじ2

## 作り方

### 1 下ごしらえをする

厚揚げはペーパータオルで押さえ
て油をとり除き、8等分に切る。
1切れずつ豚肉で全体を覆うよう
に巻く（a）。たれの材料は合わせ
ておく。

### 2 肉巻きを焼く

フライパンに①を並べて火にかけ
る。ときどき転がしながら全面に
火が通るまで焼く（b）。

### 3 たれを絡める

余分な脂をペーパータオルで拭き
取り、たれを加える。肉巻きを転
がしながら煮絡める。全体にとろ
みがついたら器に盛り、フライパ
ンに残ったたれをかける。

動画は
ココ！

スプーンなどでたれをかけ
ながら煮詰めると味の含み
がよくなるよ。お好みで青
じそやスライスチーズ、焼
きのりなどを一緒に巻くの
もおすすめ。

お子さんと一緒
に巻き巻きする
のも楽しそう！

\くるんっ/

豚肉の長さが短い場合や幅が狭いときは、2枚
を少しずらして重ね、厚揚げを巻くとよい。

b

フライパンの縁を使って肉巻きを立てると、
側面にもしっかり焼き色がついて◎。

大根おろしの
水分だけで煮るから
うまみが凝縮！

# 豚バラとキャベツの
# みぞれ蒸し

## 材料 (2人分)

豚バラ薄切り肉…300g
キャベツ…400g

みぞれだれ
┌ 大根おろし(水分も含めて)…200g
│ めんつゆ…大さじ3
│ おろしにんにく…小さじ2
└ ガラスープの素…小さじ1

## 作り方

### 1 下ごしらえをする

キャベツは大きめのざく切り、豚肉は食べや
すい大きさに切る。ボウルにみぞれだれの材
料をすべて入れ、豚肉を加えてもみ込む。

### 2 蒸し煮にする

フライパンにキャベツを敷き、豚肉をたれご
と加えて広げる。ふたをして火にかけ、煮立
ってきたら弱火にして、約8分蒸し煮にする。

永遠に食べられます！に
んにくがきいているから食
べごたえアリだけど、さっ
ぱりしていていくら食べて
も罪悪感が少ないのが◎。

ポン酢につけて
味変しても◎。

動画は
ココ！

28

炒めたきゅうりのおいしさにビックリ！ クセになりそう！

# 驚きのウマさ！
# 豚キムきゅうり

### 材料 (2人分)

豚こま切れ肉…200g
白菜キムチ…100g
きゅうり…2本
コチュジャン、ポン酢じょうゆ
　　…各大さじ1
ごま油…小さじ2

### 作り方

**1 下ごしらえをする**

きゅうりは包丁の面を押しつけてたたき割ってから大きめに切る。キムチ、豚肉は大きければ食べやすく切る。

**2 炒める**

フライパンにごま油を熱し、豚肉を炒める。肉の色が変わったらきゅうり、キムチを加えてざっと混ぜ、コチュジャンとポン酢を加え、さっと炒める。

きゅうりをたたき割るのはどうして？？

たたき割ることで表面積が増えて味がよくしみるよ。大きめに割って存在感を残すのがポイント！

動画はココ！

# たくさん作っておくと便利!
# とりそぼろ

そのまま食べても
アレンジしても
おいしい甘辛味

## 材料 (作りやすい分量)

とりひき肉…200g
めんつゆ、水…各大さじ5
砂糖…大さじ1

## 作り方

### 1 肉と調味料をよく混ぜる
フライパンにすべての材料を入れ、へらなどでよく混ぜる。

### 2 煮る
火にかけてよく混ぜながら、汁けがなくなるまで煮る。

※冷蔵で3～4日保存可。小分けにして冷凍もOK。

動画はココ!

とりそぼろ、
そぼろ納豆の
2本立て!

最初に、ひき肉と調味料を合わせてよく混ぜるのがポイント。味がよくなじんでやわらかい食感に仕上がるよ。

熱々ご飯と食べてもおいしいし、日持ちしてアレンジがきくから、作り置きしておくと便利だね。

# 〈 とりそぼろを使って 〉

アレンジレシピ❶
## 和風麻婆豆腐

白だしでやさしい
和風テイストに

| 材料 | （2人分） |

木綿豆腐…1丁（約350g）
長ねぎ…5cm

A
┌ とりそぼろ(P30)…100g
│ 白だし…大さじ1
│ ゆずこしょう…小さじ½
│ 七味唐辛子…少々
└ 水…¾カップ

水溶き片栗粉…大さじ1〜1½
　（片栗粉大さじ½を水大さじ1で溶く）

### 作り方

**1 下ごしらえをする**
豆腐はひと口大にちぎる。ね
ぎはみじん切りにする。

**2 煮る**
フライパンにAを入れて火にかける。
煮立ったら豆腐とねぎを加えて約3分
煮る。味をみて足りなければ白だしで
ととのえ、いったん火を止めて水溶き
片栗粉を加えて混ぜる。ふたたび火に
かけてとろみがつくまで煮る。

動画はココ！

和風麻婆・そぼろ
炒めの2本立て！

---

アレンジレシピ❷
## なすとピーマンのそぼろ炒め

| 材料 | （2人分） |

とりそぼろ(P30)…100g
なす…1本
ピーマン…2〜3個
ポン酢じょうゆ…大さじ2
おろししょうが…小さじ1
ごま油…大さじ1

大きめに切った野菜に
そぼろが絡んでおいしい

### 作り方

**1 切る**
なすは縦半分に切って1.5cm幅の斜め切
り、ピーマンは縦1.5cm幅に切る。

**2 炒める**
フライパンにごま油を熱し、なすとピー
マンを炒める。油がまわったら、とりそ
ぼろ、しょうがを加えて炒める。仕上げ
にポン酢を加えてさっと絡める。

---

アレンジレシピ❸
## そぼろ納豆

いつもの納豆が
＋そぼろで立派な
おかずに大変身！

| 材料 | （作りやすい分量） |

とりそぼろ(P30)
　…大さじ2（約30g）
納豆…1パック
ごま油…小さじ1
万能ねぎ(小口切り)…適量

### 作り方

**1 納豆を混ぜる**
納豆をできるだけたくさん
（300〜400回！）混ぜる。

**2 仕上げる**
とりそぼろ、ごま油を加え
て混ぜ、ねぎをのせる。

# たっぷり作って冷凍してもOK!
# とりつくね

ふっくら焼き上げたつくねはみそ味でご飯に合う

調味料はみそと砂糖だけ。ポン酢やマヨネーズなどお好みの調味料と一緒にどうぞ。

焼く前の状態で小分けすれば冷凍もできるよ。

{ふわ ふわ}

## 材料 (作りやすい分量)

とりひき肉…200g
長ねぎ(みじん切り)
　…10cm分(約20g)
片栗粉…大さじ2
みそ…大さじ1弱
砂糖…ふたつまみ
サラダ油…少々

## 作り方

### 1 下ごしらえをする
ボウルに油以外の材料をすべて入れ、ゴムべらでよく混ぜる。

### 2 蒸し焼きにする
フライパンに油を熱し、①の1/6量をへらですくいながらフライパンにのせる。両面に焼き色をつけたら水大さじ1(分量外)を加えてふたをする。火が通るまで弱火で約3分蒸し焼きにする。

＼動画はココ!／

アレンジレシピ❶
〈 とりつくね（肉だね）を使って 〉
# しいたけの肉詰め

多めの黒こしょうが
味のアクセントに

## 材料 （作りやすい分量）

とりつくね（P32の加熱前のもの）
　…100g
しいたけ…6個
粗びき黒こしょう
　…小さじ½
サラダ油…少々

## 作り方

**1 下ごしらえをする**

しいたけは軸を切り分け、軸は細かく切る。とりつくねにしいたけの軸、黒こしょうを加えて混ぜる。

**2 しいたけに詰めて焼く**

しいたけのかさの内側に①を等分してのせる。フライパンに油を熱し、とりつくねを下にして焼く。

**3 蒸し焼きにする**

焼き色がついたら上下を返し、水大さじ1（分量外）を加える。ふたをして約5分、火が通るまで弱火で蒸し焼きにする。好みでポン酢じょうゆやゆずこしょうを添える。

\動画はココ！/

とりつくね
アレンジの
2本立て！

アレンジレシピ❷
〈 とりつくね（肉だね）を使って 〉
# とりつくねとねぎのスープ

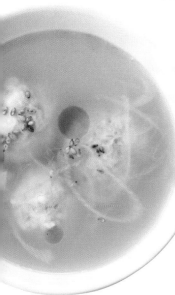

## 材料 （作りやすい分量）

とりつくね
　（P32の加熱前のもの）…100g
長ねぎ…5cm
ガラスープの素
　…小さじ3弱
水…2カップ
ごま油、白炒りごま…各適量

汁ものに入れれば
食べごたえのある
おかずスープに

## 作り方

**1 下ごしらえをする**

長ねぎは縦半分に切って、斜め薄切りにする。

**2 スープにつくねを
入れて仕上げる**

鍋に水を入れて火にかけ、沸騰したらガラスープの素を入れる。スプーンでとりつくねをひと口大に丸めて加え、ねぎも加える。約3分煮て、とりつくねに火が通ったらごま油を回しかけ、ごまをふる。

# ごろごろお肉の
# ガパオ風炒め

大きめに焼いたひき肉で
ボリューム満点

ひき肉を混ぜてか
たまりのまま焼くの
はどうして？

下味をしっかりつけたいの
と、ゴロッとした肉感を残
したいから。こうやって炒
めるとボリュームがアップ
して食べごたえもばっちり！

a

b

## 材料 （2人分）

とりひき肉…200g
ピーマン…1個
赤パプリカ…½個
玉ねぎ…½個
塩…小さじ½弱（2g）
ごま油…小さじ2

たれ
┌ オイスターソース、水…各大さじ1
└ ガラスープの素、砂糖…各小さじ1

## 作り方

### 1 下ごしらえをする

ピーマン、赤パプリカ、玉ねぎは1
cm四方に切る。たれの材料は合わせ
ておく。ボウルにひき肉を入れ、塩
を加えて粘りが出るまで混ぜる（a）。

### 2 ひき肉を焼く

フライパンにごま油を熱し、ひき肉
をかたまりのままのせて焼く。焼き
色がついてきたら粗めにほぐしてご
ろごろした状態にする（b）。

### 3 野菜を加えて仕上げる

①の野菜を加えて炒め、油がまわっ
てしんなりしてきたら、たれを加え
てさらに炒める。汁けがなくなったら、
好みで七味唐辛子を加えて混ぜる。

動画は
ココ！

塩さばが
洋風おかずに変身。
おもてなしにも
おすすめの一品

# 塩さばの アクアパッツァ

アクアパッツァというと白身魚のイメージがあったけど、塩さばで作れるなんてすごい！ 梅干しを入れるのはなぜ？

イタリアンのアクアパッツァには「ケッパー」というスパイスが入っているから、その代わり。梅干しの酸味がアクセントになるよ。

## 材料 （2人分）

塩さば（3枚おろしにしたもの）
…2枚
えのきたけ…1袋
しめじ…1パック
ミニトマト…6個
にんにく…1片
梅干し（塩分8％のもの）
…1個
水…¼カップ
オリーブオイル
…大さじ1⅓

## 作り方

### 1 下ごしらえをする

えのき、しめじはほぐす。にんにくは潰す。梅干しは種を除いて包丁でたたく。

### 2 さばときのこを焼く

フライパンににんにく、オリーブオイル大さじ1を入れて火にかける。香りが立ったらさばを皮目から焼き、えのき、しめじも加える。

### 3 煮て仕上げる

さばに焼き色がついたら上下を返し、ミニトマトと梅干しを加える。さらに水を加え、約3分煮る。味をみて足りなければ塩（分量外）でととのえる。煮汁にオリーブオイル小さじ1を加え、強火にして混ぜながら乳化させる。

\動画はココ！/

とろりと甘めの煮汁が◎。白いご飯によく合う

# すぐでき！ さばのみそ煮

## 材料 (2人分)

さば…2切れ

A
- 酒、みりん、水…各大さじ3
- みそ、砂糖…各大さじ1
- おろししょうが…小さじ1

## 作り方

### 1 下ごしらえをする

さばは皮目に切り目を入れ、ざるなどにのせて熱湯を回しかける。Aは合わせておく。

### 2 煮る

フライパンにAとさばを入れ、火にかける。煮立ってきたら火を少し弱め、煮汁が煮詰まってとろりとしてくるまで2〜3分煮る。

TikTokで初めて100万回再生を超えてバズった記念すべきレシピ動画。なぜ切り目を入れるの？

皮が縮まないようにするのと、味をしみやすくするためだよ。

動画はココ！

37

# 鮭の目玉トマチー焼き

\動画はココ!/

## 材料 （2人分）

生鮭…2切れ
えのきたけ…1袋
トマト…1個
卵…2個
ピザ用チーズ…40g
塩…ひとつまみ
ケチャップ…大さじ1〜2

鮭というと和風おかず
が定番だけど、トマトと
チーズで洋風に変身！
卵を絡ませながら食べ
るとおいしいよ。

## 作り方

### 1 下ごしらえをする

えのきは長さを半分に切ってほぐ
す。トマトは2cm角に切る。鮭は
半分に切って塩をふる。

### 2 耐熱皿に具材を入れて焼く

耐熱皿に鮭、トマト、えのきを入れ、
中央を少しあける。卵を割り入れ
てケチャップをかけ（a）、チーズ
をのせる。オーブントースターで
鮭に火が通るまで7〜8分焼く。

a

塩焼きだけじゃない
鮭活用レシピ。
パンにもよく合う

南蛮だれはポン酢ベースだから
味が決まりやすい

時間が経つほど味がしみておいしくなるから作り置きにもいいよね。七味唐辛子はお好みでなくしてもいい？

七味唐辛子なしでもおいしく食べられるよ。お子さんや辛みが苦手な人は抜いて作ってくださいね。

# ポン酢で簡単！
# 鮭の南蛮漬け

## 材料 （2人分）

生鮭…2切れ
玉ねぎ…¼個
にんじん…⅛本
ピーマン…1個
塩…少々
片栗粉、サラダ油…各適量

南蛮だれ
「 ポン酢じょうゆ、水
　　…各大さじ4
　砂糖、酢…各小さじ2
└ 七味唐辛子…少々

## 作り方

### 1 下ごしらえをする

玉ねぎは縦薄切り、にんじん、ピーマンはせん切りにして南蛮だれの材料と合わせておく。鮭はひと口大に切り、塩をふって片栗粉をまぶす。

### 2 鮭を焼いて漬ける

フライパンに油を熱し、鮭を焼く。焼き色がついたら上下を返し、火が通ったら南蛮だれに漬ける。そのまま1時間以上おく。

＼動画はココ！／

39

ゆかりの酸味と香りがアクセント

# ゆかり風味の あじから揚げ

魚の揚げものって手間がかかるイメージだけど、これなら揚げ焼きで手軽だね。

あじフライ用の開いたものが売っているので、それを使えば簡単にできるよ。あじの代わりにいわしを使ってもウマい！

### 材料 （2人分）

あじ（開いたもの）…2尾分
めんつゆ…小さじ2
ゆかり…小さじ2
片栗粉…適量
サラダ油…大さじ1

### 作り方

**1 下ごしらえをする**

あじは両面にめんつゆを絡め、ゆかり、片栗粉を順にまぶす。

**2 揚げ焼きにする**

フライパンに油を熱し、あじを揚げ焼きにする。焼き色がついたら上下を返し、裏面も焼いて火が通ったら器に盛り、好みでミニトマト（分量外）を添える。

動画はココ！
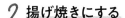

カレー味でおかずはもちろん、
おつまみにも◎

# ししゃもの
# カレー竜田焼き

### 材料 （2人分）

ししゃも…6本
めんつゆ、片栗粉…各大さじ1
カレー粉…小さじ1
サラダ油…大さじ1

### 作り方

**1 下ごしらえをする**

ししゃもはめんつゆを絡める。バットに片栗粉、カレー粉を入れて混ぜる。

**2 揚げ焼きにする**

ししゃもにカレー衣をまぶす。フライパンに油を熱し、ししゃもを揚げ焼きにする。両面がこんがりとしたら器に盛り、好みでマヨネーズ適量（分量外）を添える。

これはビールやハイボールが進んじゃうね。レモンをキュッと搾って食べるのもおすすめ。

カレー味がきいてて最高〜。冷めてもおいしいからお弁当にもぴったりだね。

動画はココ!

食材はもやし＋卵だけ！
安食材なのに激ウマ！

# もやしが主役！ オムレツ風

## 材料 （2人分）

もやし…1袋（約200ｇ）
卵…2個
万能ねぎ…3本
ガラスープの素…小さじ1
削りがつお…適量
ごま油…大さじ1

もやしを1分ほどレンチンすると炒め時間が時短できるよ。冷蔵庫にもやしと卵くらいしかないな〜というときにおすすめ！

## 作り方

### 1 下ごしらえをする
卵は溶きほぐす。万能ねぎは1㎝長さに切る。

### 2 もやしを炒める
フライパンにごま油を熱し、もやしを炒める。油がまわったら、ガラスープの素をふりかけて混ぜ、万能ねぎを散らし、溶き卵を回し入れる。

### 3 整えて仕上げる
卵が焼き固まってきたら手前に折りたたんで形を整え、器に盛って削りがつおをのせる。

\動画はココ！/

# もやしの
# ゆかりあえ

シャキシャキ食感が残るレンチンワザが決め手

**材料** (2人分)

もやし…1袋(約200g)
ゆかり…大さじ½
めんつゆ…大さじ2

**作り方**

## 1 もやしをレンジ加熱する

耐熱ボウルにもやしを入れ、めんつゆ
を加えてあえる。ラップをかけずに、
電子レンジで約3分加熱する。

## 2 仕上げる

ゆかりを加えてあえる。

\動画はココ！/

P44の
もやしのだし卵あえ
との2本立て！

ゆかりというとご飯に
かけるイメージだった
けど、こんな使い方が
あったなんて〜。

ゆかりは調味料代わりに
も使えて優秀！ もやし
はシャキシャキ感を残す
ため、あえてラップなし
でレンチンしてね。

電子レンジであっという間にできるスピード副菜

# もやしのだし卵あえ

## 材料 （2人分）

もやし…1袋（約200ｇ）
卵…2個
白だし…大さじ1
粗びき黒こしょう…適量

もやしに卵を混ぜることで、食べごたえのあるおかずになって副菜にばっちり！ レンジで手軽に作れるから、もう1品というときにも◎。

## 作り方

### 1 下ごしらえをする

耐熱ボウルに卵を溶きほぐし、白だしを加えて混ぜる。もやしを加えて全体を軽く混ぜる。

### 2 レンジ加熱する

ラップはかけずに、電子レンジで約3分加熱する。いったん取り出して全体を混ぜ、追加で約1分加熱する。器に盛り、こしょうをふる。

動画は
ココ！

P43の
もやしのゆかりあえ
との2本立て！

# 豆腐そぼろの肉みそもやし風

## 材料 (2人分)

もやし…1袋(約200g)
木綿豆腐…1丁
めんつゆ…大さじ2
砂糖、みそ…各大さじ1

> 豆腐ともやしで油も不使用だからダイエットメニューにも◎。前の日に食べすぎちゃったときにこれを作ってくれるとうれしい!

## 作り方

### 1 豆腐を炒る

豆腐はひと口大にちぎってフライパンに並べる。火にかけ、炒りながら水分をとばす。

### 2 調味する

豆腐がポロポロになってきたらめんつゆ、砂糖、みそを加えて絡める。

### 3 もやしを加熱して仕上げる

耐熱ボウルにもやしを入れ、ラップをかけずに電子レンジで約3分加熱する。粗熱がとれたら②と混ぜ、器に盛って好みで万能ねぎの小口切り(分量外)をちらす。

\動画はココ!/

家計にもお腹にも
やさしい
ご飯に合う味

しっかり焼きつけた豆腐に
焼肉のたれがよく合う!

豆腐の水きりは電子レンジでやるといいんだね!

僕が飲食店で働いていたときの鉄板メニューを家庭用にアレンジしました。しっかり焼き付けるのがポイント!

# 極厚! 豆腐ステーキ

## 材料 (作りやすい分量)

絹ごし豆腐…1丁
片栗粉…大さじ1
焼肉のたれ…50g
万能ねぎ(小口切り)…適量
サラダ油…大さじ1

## 作り方

### 1 豆腐を水きりする

豆腐はペーパータオルで包み、耐熱皿にのせて電子レンジで約2分加熱する。水けを拭いて厚みを半分に切り、片栗粉を全面にしっかりまぶす。

### 2 焼く

フライパンに油を熱し、豆腐を入れる。全面を焼き、カリッとしたら器に盛る。

### 3 仕上げる

フライパンの余分な油を拭き取り、焼肉のたれを入れて弱火で温める。豆腐にかけ、万能ねぎをのせる。

\動画はココ!/

糖質控えめで
ダイエット中でも
うれしいメニュー

# 豆腐ときのこのチーズ焼き

## 材料 (2人分)

木綿豆腐…1丁
玉ねぎ…¼個
しめじ…½パック
めんつゆ…大さじ2
砂糖…大さじ1
マヨネーズ…20g
ピザ用チーズ…20g

照り焼きとマヨネーズの
相性はばっちり。しっか
り味だけど豆腐だから
夜遅いときでも罪悪感
ナシなのがうれしい。

## 作り方

### 1 下ごしらえをする

豆腐は1cm幅に切る。玉ねぎは縦薄切りに
し、しめじはほぐす。

### 2 豆腐を加熱する

フライパンに豆腐を並べ、めんつゆ、砂糖
を加えて火にかける。スプーンなどで汁を
かけながら汁けがなくなるまで照り焼きに
する。

### 3 焼く

耐熱皿に②、玉ねぎ、しめじを入れる。マ
ヨネーズをかけ、チーズをのせてオーブン
トースターで約8分焼く。

\動画はココ!/

豆苗の食感と
ハムのうまみで
箸が止まらない

手軽な食材なのに、韓国料理店みたい！たれが2種類あるのもいいね。

カリッと焼くコツは多めの油を使うこと。上下を返したときに鍋肌から油を少し足してもOK！

# 豆苗ハムチヂミ

\動画はココ！/

## 材料 （2人分）

豆苗…1袋
ハム…5枚

A
- 卵…1個
- 小麦粉…大さじ6
- 塩…ひとつまみ
- 水…½カップ

サラダ油…大さじ1

マヨポンだれ
- マヨネーズ…大さじ1
- ポン酢じょうゆ…小さじ1

ポン酢だれ
- ポン酢じょうゆ…大さじ1
- ごま油…小さじ1

## 作り方

### 1 下ごしらえをする

豆苗は5cm長さ、ハムは半分に切ってから1cm幅に切る。マヨポンだれ、ポン酢だれの材料はそれぞれ混ぜておく。

### 2 材料を混ぜる

ボウルにAを入れて箸でよく混ぜ、豆苗、ハムを加えて混ぜる。

### 3 焼く

フライパンに油を熱し、②を流し入れる。底面に焼き色がついたら上下を返し、もう片面も同様に焼く。食べやすい大きさに切って器に盛り、たれを添える。

# 豆苗ときのこの塩昆布ナムル

## 材料 (2人分)

豆苗…1袋
しめじ…1パック
塩昆布…ふたつまみ
ごま油…小さじ2
白炒りごま…適量

豆苗は家計のお助け
食材のひとつだよね。
しかも海藻ときのこを
プラスして体にもいい
なんて！

## 作り方

### 1 下ごしらえをする

豆苗は長さを半分に切る。しめじはほぐす。

＼動画はココ！／

### 2 レンジ加熱する

耐熱ボウルにしめじ、豆苗の順に入れ、
ふんわりとラップをかけて電子レンジで
約2分30秒加熱する。

### 3 仕上げる

塩昆布、ごま油を加えて混ぜる。器に盛
ってごまをふる。

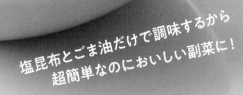

塩昆布とごま油だけで調味するから
超簡単なのにおいしい副菜に！

49

目玉焼きを
ピザ風にアレンジ。
朝食にもぴったり

ピザみたい！小麦粉を使ってないからヘルシーなのもうれしい！

# 目玉焼きのピザ風

おつまみにも最高な一品だけど、トーストにのせたら豪華な朝食にもなるよ。お好みでチリソースをかけてもいいね。

## 材料 （作りやすい分量）

卵…3個
ピーマン…横½個
オリーブオイル…小さじ2
バター…10g
おろしにんにく…小さじ½
ケチャップ、
　粗びき黒こしょう…各適量
ピザ用チーズ…30g

## 作り方

### 1 ピーマンを切る

ピーマンは薄い輪切りにする。

動画は
ココ！

### 2 フライパンで焼く

フライパンにオリーブオイル、バター、にんにくを入れ、弱火にかける。ふつふつしてきたら卵を割り入れ、ピーマンをのせる（a）。ケチャップを全体にかけ（b）、こしょうをふり、チーズをのせる。ふたをして中火にし、卵の白身に火が通るまで焼く。

a b

もやしも一緒に漬けて
**ボリュームアップ！**

# もんきち流
# やみつき漬け卵

まさにやみつき！の漬け
だれがうまい。もやしも
一緒に入れると食感もよ
く、おいしいです。

## 材料 （作りやすい分量）

卵…4個
もやし…1袋(約200g)
万能ねぎ…5本

漬けだれ
> しょうゆ、水…各¼カップ
> コチュジャン…大さじ1½
> 砂糖…大さじ1
> おろしにんにく、
> 　ごま油…各小さじ1

a

## 作り方

### 1 下ごしらえをする

卵は熱湯で約6分30秒ゆでて冷水にとり、
殻をむく。もやしは耐熱ボウルに入れ、ラ
ップをかけずに電子レンジで約2分加熱す
る。粗熱がとれたら水けを絞る。万能ねぎ
は7〜8mm幅に切る。

### 2 漬ける

ポリ袋に漬けだれの材料を入れて混ぜ、①
を入れる。空気を抜いて袋の口を閉じ（a）、
半日から1日冷蔵室で寝かせる。

保存袋やポリ袋を使えば、
漬けだれの量が少なめで
も卵ともやしに味がしみ
やすい。もやし入りは2
日以内、もやし抜きは4
〜5日、ともに冷蔵室で
保存可。

動画は
ココ！

# もんきち夫婦 Q&A 夫婦関係編

SNSで募集した質問にお答えします！　まずは一番多かった夫婦関係について。

## Q ふたりのなれそめは？お互いの第一印象は？

A 出会った日に一目惚れ。僕から猛アタックしました(笑)。第一印象はとにかく笑顔が素敵！

私も初めてしゃべった日からニコッとしたときの笑顔が印象的だったよ。一緒に過ごせば過ごすほど、優しくて思いやり深い人と感じて、どんどん好きになりました。

## Q 家事分担はどうしてる？

A 共働きだから、できる方がやるっていうのが基本だね。

洗濯機も気づいた方が回すし、掃除も時間があるときに気づいた方がやる。ふたりの「清潔／汚い」の感覚も近いんだよね。

料理を作らなかった方が皿洗いをする、どちらかが洗濯物をたたみ始めたら一緒にたたむ、みたいな思いやりは互いに大事にしてるよね。役割分担をルールとして決めてしまうと守れなかったときにももめるから、あえてルール化していません。

## Q いつも仲良しでいる秘訣は？

A 些細（ささい）なことでもお互いを褒め合う。最近、我が家で流行ってる言葉は「うちには天才しかおらん」(笑)。

ポジティブな言葉はすごく大事だよね。ちょっと大げさに言うくらいでちょうどいい。逆にネガティブな言葉は言わないようにしてるかな。文句とかも言わないし。

仕事の愚痴もほとんど家に持ち込まないよね。あと、家にいても目を合わせたら自然と「ニコッ」と笑う！

笑顔でいることが一番！

## Q お互いの好きなところは？

A 常に笑顔で明るいところ。僕の趣味をひととおり全部受け入れてくれたのも大きかったな。

料理が上手なところはもちろん(笑)、とにかく懐が大きい！ 自分らしさを抑えることも我慢することも一切なく、そのうえで一緒にいると人生の楽しいことや面白いことが増える。だから、この人と結婚したいと思いました。

# Part 2

## ＼安食材で作る／
# レンチン
# ラクおかず

忙しくてヘトヘトなときや、夏の暑い日などは、
火を使うのが億劫に感じること、ありませんか？
そんなときは、電子レンジにお任せ！
ぜひ、もんきち流のレンジおかず10品をお試しあれ。

やわらかく、
とりのうまみを吸った
ねぎもおいしい!

これはすごい!レンチンで簡単なのに料理上級者に見えちゃうね!

もっと本格的にしたければ、レンチンしたあとフライパンで焼き色をつけても。たれも軽く煮て絡めると、よりおいしくなるよ!

# ねぎま とりチャーシュー

## 材料 (2人分)

とりもも肉…小1枚(約200g)
長ねぎ…10〜15cm

A ┌ めんつゆ…大さじ2
  │ ポン酢じょうゆ…大さじ1
  └ おろしにんにく…小さじ½

## 作り方

### 1 下ごしらえをする

長ねぎはとり肉の横幅に合わせて切る。とり肉は全体にフォークで穴をあける。バットにAを合わせる。

### 2 ねぎをとり肉で巻く

とり肉にAを絡め、皮目を下にしてバットにおく。ねぎをやや手前にのせ、ねぎを包むようにしてとり肉を丸める(a)。巻き終わりにつまようじを4か所刺して留める(b)。

### 3 レンジ加熱する

耐熱皿に②をたれごと入れ、ふんわりとラップをかけて電子レンジで約4分加熱する。いったん取り出し、上下を返す。ふたたびふんわりとラップをかけて電子レンジで約3分加熱する。ラップをかけたまま5分以上おく。粗熱がとれたら食べやすい厚さに切って器に盛り(赤みが残っている場合は30秒ずつ追加でレンジ加熱する)、皿に残ったたれをかける。

a

b

\動画はココ!/

人気のとりハムも電子レンジにお任せでOK

とり肉に砂糖をまぶすのはどうして？

砂糖の保水効果でとり肉がしっとり仕上がるからだよ。塩と砂糖の分量はそれぞれとり肉の1%と覚えておいてね。

# レンジでしっとり！とりハム

## 材料 （2人分）

とりむね肉（皮なし）
…小1枚（約200g）
砂糖、塩…各小さじ1/2弱（2g）

ねぎだれ
[ 長ねぎ（みじん切り）…大さじ1
ポン酢じょうゆ、ごま油
…各大さじ1
粗びき黒こしょう…適量 ]

\動画はココ！/

## 作り方

### 1 下ごしらえをする

ねぎだれの材料は混ぜる。とり肉は厚いところは切り目を入れて開き、厚みを均一にする。全体にフォークで穴をあけ、砂糖と塩をすり込む。ラップを広げてとり肉をのせ、手前からきつく巻き、両端をキャンディー状にねじる。さらにラップで全体を包み、つまようじで全体に穴を開ける。

### 2 レンジ加熱する

耐熱皿にのせ、電子レンジで約2分加熱する。いったん取り出して上下を返し、追加で約2分加熱する。そのまま5分以上おく。粗熱がとれたら食べやすい厚さに切って器に盛り（赤みが残っている場合は30秒ずつ追加でレンジ加熱する）、ねぎだれをかける。

レンジで作るから簡単。
なのに、味がしみうまっ！

煮ものにオイスターソー
スを入れるのが意外！
レンジでチンだけで味が
しみ込むの？

レンジ加熱だけど10
分ほど加熱しているか
ら十分に味がしみ込
むよ。

# レンチン！
# とりと大根の煮もの

 **材料** （2人分）

大根…6㎝（約260g）
とりもも肉…1枚（約250g）
A ┌ 水…½カップ
  │ 白だし、オイスターソース
  └ …各小さじ2

**作り方**

## 1 下ごしらえをする

大根は5㎜厚さのいちょう切りにする。と
り肉は食べやすい大きさに切る。

## 2 レンジ加熱する

耐熱ボウルに①とAを入れて混ぜ、ふんわ
りとラップをかけて電子レンジで約5分加
熱する。取り出して全体を混ぜ、ふたたび
ふんわりとラップをかけて電子レンジで約
5分加熱する。

\動画はココ！/

余りがちなドレッシングの活用にも◎。イタリアンドレッシングやシーザードレッシングなども相性がいいですよ。

ドレッシングひとつで味つけできるのいいね〜。お酒も進みます！

ドレッシングを使うから
味がしっかり決まる！

# レンジでジャーマンポテト

### 材料 （2人分）

じゃがいも…2個（約300g）
玉ねぎ…¼個
ウインナソーセージ
　　…4〜5本
オニオンドレッシング（市販品）
　　…大さじ2
粗びき黒こしょう…小さじ½
ピザ用チーズ…30g

### 作り方

**1 下ごしらえをする**
じゃがいもは5mm厚さ、玉ねぎは縦薄切りにする。ソーセージは2〜3等分に切る。

**2 レンジ加熱する**
耐熱皿に①を入れ、ドレッシング、こしょうをかけて混ぜる。ふんわりとラップをかけ、じゃがいもがやわらかくなるまで電子レンジで6〜7分加熱する。

**3 仕上げる**
じゃがいもに熱が通ったらチーズをのせ、ラップをかけずに、チーズが溶けるまで電子レンジで1分〜1分30秒加熱する。

＼動画はココ！／

# ポテさば

## 材料 （作りやすい分量）

じゃがいも…2～3個（約300g）
さばみそ煮缶…1缶（固形量150g）
玉ねぎ…¼個
塩…ひとつまみ
水…小さじ1
マヨネーズ…大さじ3
粗びき黒こしょう…小さじ¼

## 作り方

### 1 じゃがいもをレンジ加熱する

じゃがいもは1cm厚さに切って耐熱ボウルに入れる。水と塩を加えて混ぜ、ふんわりとラップをかけて電子レンジで約5分加熱する。熱いうちに潰す。

### 2 玉ねぎとさばをレンジ加熱する

玉ねぎは縦薄切りにする。別の耐熱ボウルに入れ、さばを缶汁ごと加えてふんわりとラップをかけ、玉ねぎがしんなりするまで電子レンジで約1分加熱する。

### 3 仕上げる

①と②を合わせ、マヨネーズ、こしょうを加えてよく混ぜる。

\動画はココ！/

ポテさばと
ポテさばアレンジの
3本立て！

じゃがいもと
さばみそ缶が
驚くほど合う！

にんにくチューブを入れたり、七味唐辛子をふったりしてもおいしいよ。大人味のポテさばになって、これもオススメ！

58

# 〈ポテさばを使って〉

パンにもよく合う。
とろ～りチーズが◎

アレンジレシピ❶

## ポテさばトースト

**材料**（2人分）

ポテさば(P58)…200g
食パン…2枚
ピザ用チーズ…60g

**作り方**

### 焼く

食パンにポテさばとチーズを等分にのせ、チーズが溶けて焼き色がつくまでオーブントースターで約5分焼く。

アレンジレシピ❷

## ポテさば スパニッシュオムレツ

**材料**（2人分）

ポテさば(P58)…200g
赤パプリカ…½個
卵…4個
オリーブオイル…大さじ1
ケチャップ…適量

おしゃれで食べごたえのあるおかずにアレンジ！

**作り方**

### 1 下ごしらえをする

パプリカは1cm角に切る。ボウルに卵を溶きほぐし、ポテさばとパプリカを加えて混ぜる。

### 2 片面を焼く

直径20cmのフライパンにオリーブオイルを熱し、①を流し入れる。箸で混ぜながら火を入れ、半熟状になったら混ぜるのをやめ、弱火～中火で底面を焼き固める。

### 3 もう片面も焼く

焼き色がついたらフライパンよりひとまわり大きい皿をかぶせて上下を返し、フライパンに戻し入れる。もう片面も同様にして焼く（詳しい焼き方は動画をチェック！）。食べやすく切って器に盛り、ケチャップを添える。

# もんきち ドレッシングで 豚しゃぶサラダ

市販のドレッシングがなくても、これがあればいろいろなサラダに合うね。

豚肉は氷水でしめるとかえってかたくなるから常温の水でさっと洗うのがポイント。

ポン酢×オリーブオイルのドレッシングがよく合う

## 材料 (2人分)

豚バラ薄切り肉…200g
水菜…100g

ドレッシング
- ポン酢じょうゆ…大さじ2
- おろしにんにく、
  粗びき黒こしょう
  …各少々
- オリーブオイル…大さじ1

\動画はココ!/

## 作り方

### 1 下ごしらえをする

水菜は5cm長さに切って水にさらし、水けをよくきる。豚肉は長さを3〜4等分に切る。ドレッシングの材料を混ぜる。

### 2 豚肉をレンジ加熱する

ボウルなどに1%の塩分濃度の塩水(分量外)を作る(2カップの水に塩4gが目安)。耐熱皿に豚肉を並べ、塩水をかぶるくらいまで注ぐ。ふんわりとラップをかけて電子レンジで約4分加熱する。豚肉に火が通ったらざるに上げ、水で軽く洗ってアクを洗い流す。

### 3 仕上げる

器に水菜、豚しゃぶを盛り、ドレッシングをかける。

だし巻き卵がレンジで作れちゃう。お弁当にも◎

だし巻き卵って難しいけど、これならラクチン!

様子をみながら少しずつ加熱するのがポイント。

# レンジでだし巻き卵

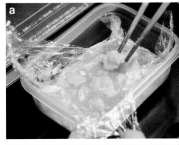

材料 (2人分)

卵…2個
白だし…小さじ2
みりん、ごま油…各小さじ1

作り方

## 1 下ごしらえをする

ボウルにすべての材料を入れ、よく混ぜる。

## 2 レンジ加熱する

耐熱容器（9×15×高さ4cm）にラップを大きめに敷き、卵液を流し入れる。ラップの余った部分を軽く閉じ、電子レンジで約30秒加熱する。ラップを開いて箸で全体を混ぜ（**a**）、ふたたびラップを軽く閉じて約30秒加熱する。さらに様子を見ながら約30秒ずつ加熱する（**b**）。半熟状に熱が通ったら上下を返して耐熱容器に入れたまま5分以上おいて余熱で蒸す。

動画はココ!

# ほうれん草のピーナッツあえ

\動画はココ！/

## 材料 （2人分）

ほうれん草…1わ
ピーナッツ…40g
砂糖、めんつゆ…各大さじ1

## 作り方

### 1 下ごしらえをする
ピーナッツは粗く砕いてボウルに入れ、めんつゆ、砂糖と合わせる。

### 2 ほうれん草をレンジ加熱する
ほうれん草はふんわりとラップで包み、電子レンジで1分30秒〜2分加熱する。ラップをはずして冷水にとり、水けをよく絞って5cm長さに切る。

### 3 仕上げる
①と②をあえる。

ピーナッツの食感が◎。
めんつゆで簡単調味

ゆかこピーナッツが好き。体にもいいよね。レンジ加熱したあと水にとるのはなぜ？

ほうれん草には「シュウ酸」というアクの成分が含まれているので、必ず水にさらして。ゆでてもいいけれど、レンジ加熱だと手軽にできるよ。ピーナッツを砕くときは、ポリ袋に入れてめん棒か包丁の面でつぶすといいよ！

# Part 3

## \そのまま出してもOK!/
## フライパン×安食材で作る
# ワンパンおかず

もんきちが作る料理は、安食材でウマい！だけじゃなく、
あと片づけがラクチンなことも重要なのです！
ワンパンおかずなら、つけ合わせなどもフライパンひとつ。
フライパンごと食卓に出せる映えレシピもありますよ。

# ワンパンバーグ

ぐつ

ぐつ

つけ合わせもソースもフライパンひとつなのがうれしい

## 材料 (2人分)

合いびき肉…250g
塩…小さじ½ (2.5g)
粗びき黒こしょう…小さじ½
玉ねぎ…¼個
卵…1個
にんじん…5～6㎝
ブロッコリー
　(小房に分けたもの)…2個
しめじ…小½パック
バター…10g
サラダ油…少々

ソース
┌ケチャップ、中濃ソース
│　…各大さじ2
└水…½カップ

## 作り方

# 1 下ごしらえをする

にんじんは四つ割りにし、ブロッコリーと合わせて耐熱ボウルに入れ、ふんわりとラップをかける。やわらかくなるまで電子レンジで1～2分加熱する。しめじはほぐす。玉ねぎはなるべく細かくみじん切りにする。

# 2 肉だねを作る

別のボウルにひき肉と塩を入れ、粘りが出るまで手でよく混ぜる。玉ねぎ、卵、こしょうを加え、さらに混ぜる。ボウルの中でゴムべらでざっくり4等分し(a)、すくってボウルの縁に軽くたたきつけるのを何度か繰り返し、空気を抜きつつ形を整える(詳細は動画をチェック!)。

# 3 焼いて煮る

フライパンに油を熱し、肉だねを並べて焼く。焼き色がついたら上下を返し、あいているところに①のにんじん、ブロッコリー、しめじを加える。ハンバーグのもう一面にも焼き色がついたらソースの材料を入れ、ふたをする。約3分煮てハンバーグに竹串を刺して透明な肉汁が出たらソースにバターを加えて溶かし、全体をなじませる。器に盛り、残ったソースをハンバーグにかける。

a

動画は
ココ!

動画でも人気だったメニューだね。ハンバーグは肉感が感じられておいしい。レストランみたいな味だよ。

ハンバーグに火が通っていてもソースがシャバシャバしている場合は、最後にソースだけ強火で軽く煮てね。つけ合わせはじゃがいももおすすめ。

ホワイトソースも、この作り方なら失敗なし!

ホワイトソースって難しそうなイメージがあったけど、これならできそう!

マカロニがやわらかくなってもまだソースがシャバシャバのときは強火で煮込んでね。

# とりときのこのワンパングラタン

## 材料 (2人分)

とりむね肉…1枚(約250g)
玉ねぎ…½個
しめじ…1パック
塩…小さじ½(2.5g)
こしょう…少々
バター…30g
小麦粉…大さじ2
A ┌ 牛乳…1カップ
　├ 水…¾カップ
　└ 顆粒コンソメ…小さじ½
マカロニ…50g
ピザ用チーズ…100g
ドライパセリ(あれば)…適量

## 作り方

### 1 下ごしらえをする

玉ねぎはくし形切りにし、しめじはほぐす。とり肉はひと口大のそぎ切りにして塩、こしょうをふる。

### 2 肉と野菜を炒める

フライパンにバターを溶かし、とり肉を焼く。両面に焼き色がついたら、玉ねぎ、しめじを加えて炒め、野菜がしんなりとしたら小麦粉をふり入れて炒めながらよく混ぜる。

### 3 仕上げる

Aを加えてさらに混ぜる。煮立ったらマカロニを加え、袋の表示どおりに加熱する。マカロニがやわらかくなったらチーズをのせてふたをし、チーズが溶けたらパセリをふる。

動画はココ!

大根おろしたっぷりで、さっぱりおいしい

# とりもものみぞれ煮

もんきちが高校生のころにバイトしてたファミレスのレシピを簡単アレンジした自慢のレシピ。おいしいとりもものみぞれ煮が家で作れちゃいます。

## 材料 （2人分）

とりもも肉…大1枚（約300g）
なす…1本
オクラ…4本
めんつゆ…大さじ2
片栗粉…大さじ3
サラダ油…1/2カップ

みぞれつゆ
[
大根おろし…100g
めんつゆ、水
　…各1/4カップ
]

## 作り方

### 1 下ごしらえをする

なすは縦半分に切って皮に5mm間隔で斜めに切り目を入れる。オクラはがくをぐるりとむく。とり肉に下味用のめんつゆをもみ込み、冷蔵室で約30分おく。

### 2 揚げ焼きにする

とり肉に片栗粉をまぶす。フライパンに油を熱し、とり肉と野菜を入れ、途中、上下を返して約3分揚げ焼きにする。

### 3 仕上げる

耐熱ボウルにみぞれつゆの材料を入れ、電子レンジで約1分加熱する。とり肉を食べやすく切って野菜とともに器に盛り、みぞれつゆをかける。

\動画はココ!/

# さっと煮で完成！
# チキンのトマト煮

\動画はココ!/

## 材料 (2人分)

とりもも肉…1枚(約250g)
玉ねぎ…½個
エリンギ…1パック
塩…小さじ½(2.5g)
粗びき黒こしょう…少々
おろしにんにく…小さじ½
オリーブオイル…小さじ2

A ┌ カットトマト缶…1缶(400g)
　├ 水…½カップ
　└ 顆粒コンソメ…小さじ1

## 作り方

### 1 下ごしらえをする

玉ねぎはくし形切り、エリンギは食べやすい大きさに裂く。とり肉は大きめのひと口大に切って塩、こしょうをふる。

### 2 焼く

フライパンにオリーブオイルを熱し、とり肉を皮目を下にして入れる。焼き色がついたら上下を返し、玉ねぎ、エリンギ、にんにくを加える。全体をさっと炒めたら**A**を加える。

### 3 煮る

5〜6分煮て、味をみて足りなければ塩(分量外)で味をととのえる。

イタリア料理の
「カッチャトーラ」を
家庭料理に簡単アレンジ！

にんにくはチューブを使ってるし、トマト缶も使い切りなのがうれしいレシピ。

トマトソースを使ってスパゲティやペンネに合わせてもおいしいよ。

ポン酢とみりん、バターの組み合わせが絶妙

# 豚ロースソテー
# 絶品ポン酢ソース

とんかつ用の肉でポークソテーに。フォークで穴をたくさんあけるとやわらかく仕上がるよ。最後に加えるコク出しのバターがポイント。

## 材料 （2人分）

豚ロースとんかつ用肉…2枚
玉ねぎ…1/4個
ミニトマト…2個
水菜…50g
塩…ふたつまみ
小麦粉…適量
ポン酢じょうゆ…大さじ2
みりん…小さじ2
バター…10g
粗びき黒こしょう…小さじ1/4
オリーブオイル…小さじ2

\動画はココ!/

## 作り方

### 1 下ごしらえをする

玉ねぎは縦薄切り、ミニトマトは四つ割りにする。水菜は食べやすい長さに切る。豚肉は全面にフォークを刺し、塩をふって小麦粉をまぶす。

### 2 豚肉を焼く

フライパンにオリーブオイルを熱して豚肉を並べ、あいているところに玉ねぎを入れる。豚肉に焼き色がついたら上下を返し、3〜4分焼く。ミニトマト、ポン酢、みりんを加えて軽く煮詰める（a）。バターとこしょうを加えて全体になじませる。

### 3 仕上げる

器に盛って水菜を添え、フライパンに残ったソースを豚肉にかける。

野菜だけとは思えない
ボリューム感とおいしさ!

# お好み野菜の
# チーズダッカルビ風

野菜たっぷりがうれしい! 半端な残り野菜が活用できるから冷蔵庫の整理になるのもいいね。

野菜の種類はお好みで変えても。たれの量は野菜の総量が約400gの想定なので、できたらスケールで計るといいね。

## 材料 (2人分)

キャベツ…100g
ブロッコリー…100g
玉ねぎ…½個(約100g)
しめじ…1袋(約100g)
ミニトマト…2個

A ┌ ポン酢、コチュジャン
　　…各大さじ1
　　おろしにんにく、
　　おろししょうが
　└　…各小さじ1

ピザ用チーズ…60g

## 作り方

### 1 下ごしらえをする
野菜はすべて食べやすい大きさに切る。Aは混ぜる。

### 2 蒸し焼きにする
フライパンに野菜と水大さじ2(分量外)を入れ、ふたをして弱めの中火にかける。野菜がしんなりしたら、ふたをはずして強めの中火にして水分をとばす。

### 3 仕上げる
Aを加えて全体に絡める。チーズを中央に縦に広げてのせ、ふたをしてチーズが溶けるまで蒸し焼きにする。

\動画はココ!/

# キムチ納豆チヂミ

### 材料 (2人分)

白菜キムチ…50g
にら…30g
納豆…1パック
ごま油…大さじ1

A
- 小麦粉…大さじ6
- 卵…1個
- 水…80mℓ

たれ
- ポン酢じょうゆ…大さじ2
- ごま油…小さじ1

### 作り方

**1 下ごしらえをする**

にらは5cm長さに切る。納豆はよく混ぜる。たれの材料を混ぜる。

**2 材料を混ぜる**

ボウルにAを入れて混ぜ、にらとキムチ、納豆を加えて混ぜる。

**3 焼く**

フライパンにごま油を熱し、②を流し入れる。焼き色がついたら上下を返し、へらで上から押さえて焼く。裏面も焼けたら食べやすく切ってたれを添える。

＼動画はココ!／

> キムチやにらの効果もあって納豆のにおいが抑えられるから、納豆が苦手な友人にも好評だったよ。混ぜるだけのたれも簡単!

**手軽な食材なのに本格的な味で
ぺろりと食べられちゃう**

# もんきち夫婦 Q&A 料理編①

家庭でも作りやすいレシピを次々と生み出すもんきち。その秘密は？

## Q もんきちさんはいつから料理上手になったの？

A 小学生のとき、家族のためにごはんを作ったら両親に「おいしい！」と褒められて、それがすごくうれしかったのがきっかけかな。「将来の夢はコックさん」って小学校の卒業式のときに壇上で宣言したことを覚えています。高校卒業後は調理学校に進学して料理の仕事に就きました。

### 〈もんきち料理ヒストリー〉

**小学生** 遠足や調理実習で料理を作る楽しさに目覚める。料理をすることで人に喜んでもらえるうれしさを知る。

**10代** 高校卒業後、調理師学校に進学。フレンチとイタリアンを学ぶ。その後、料理人として就職。

**20代** 料理とはいったん離れ、ウェブ業界で働く。20代後半に料理の写真を投稿し始めると、友人たちからの評判もよく、定期的に料理を振る舞うようになる。

**30代** ゆかこと出会い、おつき合いを経て結婚（ちなみにプロポーズは自宅でコース料理を作って最後に指輪を渡しました）。その後、もんきちが料理を作っているところをゆかこが撮影し、それを勝手に編集してSNSに投稿したところ、予想をはるかに超えてバズる。そしてついに出版社から声がかかり、レシピ本を出版できることに。

## Q レシピはどうやって考えているの？

A 学校で学んだ知識をベースに、既存のレシピから食材や調味料を置き換えたり、足し引きしたりして考えているかな。料理系の動画チャンネルもよく見ています。

今回は和食のレシピが多いけれど、普段はイタリアンやフレンチも作ってくれるよね。

フランス・イタリア料理コースに通っていたからね。外食したときにヒントを得ることも多いです。どういう味つけ、食材で構成されているかをイメージして、家で作ってみることも。でもやっぱり基本は知識と経験！

## Q 今後の夢は？

A 「自分の料理で人を笑顔にする」という子どもの頃からの夢が今こうして叶っていることが本当にうれしいので、これからますます料理家として仕事の幅を広げていきたいです。もんきちの料理を食べてもらえる機会も作れたらうれしいね。料理教室もやってみたいな。

「『家族』のための男飯」を掲げているけれど、歳を重ねると「家族」の関係性や食べたいものも変わってくるかもしれない。「家族のための男飯」の中身をどんどん広げていくことが夢。80歳になったときにはどんな「家族の男飯」を発信できるかなぁ(笑)。

# Part 4

## \火を使わない！/
# ラク安副菜

「あと1品欲しいな」というときにも便利な
火を使わないレシピ7品をご紹介。
もちろん、手に入りやすい安食材を使用！
さっぱり味の副菜は箸休めにぴったりです。

シャキシャキ大根に梅マヨがよく合う

# 梅マヨ大根サラダ

 **材料**（2人分）

大根… 7cm（約300g）

A ┌ 梅干し…1個
  │ マヨネーズ…大さじ2
  └ オイスターソース…大さじ1

削りがつお…適量

> 大根を切ったあとに水にさらすのがポイント！シャキシャキになって大根特有のにおいもとれておいしくなるよ。

**作り方**

## 1 下ごしらえをする

梅干しは種を除いて包丁でたたく。大根はスライサーか包丁でせん切りにして水にさらし、水けをしっかりきる。

## 2 あえる

ボウルにAを入れて混ぜ、大根を加えてあえる。器に盛り、削りがつおをのせる。

動画は
ココ！

カレー風味で食欲増進！

# カレーツナ<br>コールスロー

ほんのりカレー風味で
おいしい！ 箸休めに
もぴったりだね。

サラダとしてそのまま食
べてもいいし、サンドイ
ッチの具にするのもおす
すめ。冬は白菜で作って
もおいしいよ！

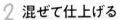

## 材料 （作りやすい分量）

キャベツ（または白菜）…¼個
ツナ缶…１缶
塩…ひとつまみ
マヨネーズ…大さじ２
カレー粉…小さじ１
粗びき黒こしょう…適量

## 作り方

### 1 下ごしらえをする

キャベツはスライサーか包丁でせん切
りにする。ボウルに入れて塩を加えて
軽くもみ、約５分おく。ツナは缶汁を
きる。

### 2 混ぜて仕上げる

キャベツがしんなりしたら水けをしっ
かり絞ってボウルに戻し、ツナとマヨ
ネーズ、カレー粉を加えて混ぜる。器
に盛り、こしょうをふる。

\動画はココ！/

75

アボカドのまったり感にキムチのピリ辛がマッチ

まったりとコクがあって濃厚！
わさびがイイ仕事してます

# アボカドキムチ

## 材料 (2人分)

アボカド…1個
白菜キムチ…30g
塩昆布…ひとつまみ
ごま油…小さじ1

> アボカドとキムチ
> って合うんだね〜。
> ごま油の風味も
> きいてる!

## 作り方

### 1 下ごしらえをする
ボウルにアボカドの半量を入れてフォークなどで潰し、残りの材料を加えてあえる。

### 2 仕上げる
残りのアボカドは食べやすく切り、①に加えてあえる。

動画は
ココ!

アボカドキムチと
ともあえの
2本立て!

# アボカドをアボカドであえる!?
# アボカドのともあえ

## 材料 (2人分)

アボカド…1個
A
マヨネーズ…大さじ1
しょうゆ…小さじ¼
練りわさび…少々

> アボカドはやわらかいものを選
> んで。粗びき黒こしょうをガリ
> ガリッとかけてもおいしいよ。
> お子さんがいる家庭やわさび
> が苦手な人は入れなくてもOK。

## 作り方

### 1 アボカドを潰す
ボウルにアボカドの半量を入れてフォークなどで潰し、Aを加えて混ぜる。

### 2 仕上げる
残りはスプーンなどでひと口大にくりぬき、①のボウルに入れてあえる。

きゅうりの食感がよく、箸が止まらない！

そのまま食べてもアレンジしても
おいしい甘酢味

# きゅうりの白だし浅漬け

**材料** （2人分）

きゅうり…2本
おろしにんにく、おろし
　しょうが…各小さじ1
白だし…大さじ1
ごま油…小さじ1
白炒りごま…適量

**作り方**

**1 きゅうりを割る**
きゅうりはめん棒などでたたき割り、食べやすい大きさにする。

**2 あえる**
ボウル（またはポリ袋）にごま以外の材料を入れてあえ、冷蔵室で約15分おく。器に盛り、ごまをふる。

動画はココ！

> 白だしを使うと手軽に浅漬けが作れるから、もう1品欲しいというときにも便利。きゅうりは包丁の面を押し当てても。切るよりも味がよくしみておいしい！

# ツナとトマトのさっぱりあえ

**材料** （2人分）

トマト…1個
ツナ缶…1缶
ポン酢じょうゆ、めんつゆ
　…各大さじ2
オリーブオイル…大さじ1
砂糖…小さじ1/2
粗びき黒こしょう…ひとつまみ

**作り方**

**1 切る**
トマトは食べやすい大きさに切る。

**2 仕上げる**
ボウルにすべての材料を入れ、よく混ぜる。

動画はココ！

> お好みで青じそやみょうがのせん切りを足してもおいしいです。また、ゆでてから冷水でしめたパスタや素麺を加えて冷製麺にアレンジしても◎。

さっぱりして食感もよく、箸休めにぴったり

# ポン酢できゅうりの酢のもの

## 材料 (2人分)

きゅうり…1本
塩…ひとつまみ
乾燥わかめ…3g

A ┌ ポン酢じょうゆ…大さじ1
  │ 砂糖、酢、白だし
  └ …各小さじ1

白炒りごま…適量

> ポン酢だけだとうまみと甘みが足りないので、白だしでうまみを、砂糖で甘みを加えます。ゆでだこの足を加えても◎。

## 作り方

### 1 下ごしらえをする

きゅうりはスライサーか包丁で薄い輪切りにし、塩をふって塩もみをする。わかめは水か湯でもどす。ボウルにAを入れて混ぜておく。

### 2 あえて仕上げる

きゅうりとわかめの水けをよく絞り、Aのボウルに入れてあえる。器に盛り、ごまをふる。

＼動画はココ!／

# Part 5

\1品で満足！/

# 超ラク
# 麺＆ご飯

一皿で満足感のある麺ものやご飯ものは
忙しい日の晩ごはんや、休日のランチにもぴったり！
炊飯器で作れるレシピや、ワンパンで作れるパスタなど
作りやすさにもとことん！こだわりました。

チキンライスは炊飯器で作るから簡単！

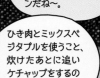

オムライスって結構、手間がかかる印象だけど、炊飯器でチキンライスを作るとラクチンだね〜。

ひき肉とミックスベジタブルを使うこと、炊けたあとに追いケチャップをするのもポイントだよ。

# もんきち流
# 和風オムライス

## 材料 (2人分)

とりひき肉…150g
玉ねぎ…¼個
冷凍ミックスベジタブル…50g
米…2合
ケチャップ…大さじ7
めんつゆ…大さじ2

卵…4個
しょうゆ…小さじ2
バター…20g

動画はココ!

## 作り方

# 1 チキンライスを作る

玉ねぎはみじん切りにする。米は洗って炊飯器の内釜に入れ、めんつゆを入れてから2合のラインよりやや少なめに水(分量外)を加え、ケチャップ大さじ5を入れてよく混ぜる。玉ねぎ、凍ったままのミックスベジタブル、ひき肉をほぐして広げ入れる(a)。あれば炊き込みご飯モードで炊く。炊けたらケチャップ大さじ2を加えて全体を混ぜる。1人分ずつ器に盛る。

# 2 卵をのせて仕上げる

ボウルに卵2個を溶きほぐし、しょうゆ小さじ1を入れて混ぜる。フライパンにバター10gを溶かして卵液を入れ、箸で混ぜながら中火〜弱火で火を入れる(b)。半熟状になったら混ぜるのをやめ、底面が焼き固まったらチキンライスの上に滑らせるようにしてのせる。残りも同様に作る。好みでケチャップ(分量外)をかける。

a　b

炊飯器でご飯も
とり肉も同時調理。
しっとりして美味!

しょうゆの代わりにナンプラーを使うとより本格的に。さらに、ご飯を炊くときにパクチーの根っこがあったら一緒に入れると、香りがついてお店の味に近づくよ。

# 炊飯器で作る カオマンガイ風

## 材料 （2人分）

とりむね肉…大１枚（約350ｇ）
米…２合
塩…小さじ²⁄₃強（3.5ｇ）

A
- おろしにんにく、おろし しょうが…各小さじ１
- ガラスープの素 …大さじ１
- しょうゆ…小さじ１

長ねぎの青い部分（あれば）…１本分
パクチー…適量

たれ
- 長ねぎ（みじん切り）…大さじ２
- ポン酢じょうゆ…大さじ３
- 砂糖…大さじ１
- しょうゆ…小さじ１

## 作り方

### 1 下ごしらえをする

とり肉はフォークで全体に穴をあけ（a）、塩をすり込む。米は洗って炊飯器の内釜に入れ、２合のラインまで水（分量外）を入れる。

### 2 米ととり肉を炊く

米にAを加えて混ぜ、とり肉とねぎの青い部分を入れ（b）、あれば炊き込みご飯モードで炊く。

### 3 仕上げる

たれのねぎは水にさらし、水けをしっかり絞る。残りの材料と混ぜる。ご飯が炊けたらとり肉を取り出し、食べやすく切る。ご飯と一緒に器に盛ってパクチーを添え、とり肉にたれをかける。

動画はココ！

a

\スイッチON！/

b

# ワンパン
# カルボナーラ

生クリームなしなのに驚くほど濃厚！

すごく濃厚でおいしい〜！ カルボナーラって難しくて失敗しちゃうイメージがあるけど、うまく作るコツは？

卵に牛乳を混ぜるのがポイント！ 卵液に一気に熱が伝わらないから、ボソボソになるのを防げるよ。麺をゆでているときに水分が少なくなったら水を足して調整してね。

材料 （2人分）

ベーコン…4枚
スパゲッティ（1.7㎜）…200g
オリーブオイル…大さじ1

A
- 牛乳…½カップ
- 卵…2個
- 粉チーズ…大さじ4
- 粗びき黒こしょう…小さじ2
- しょうゆ（あれば薄口しょうゆ）…小さじ1

B
- 牛乳…1カップ
- 水…2カップ
- 塩…小さじ⅔弱（3g）

作り方

# 1 下ごしらえをする

ベーコンは1㎝幅に切る。ボウルに**A**を入れてよく混ぜる。フライパンにオリーブオイルを熱してベーコンを炒め、焼き色がついたら**A**のボウルに入れる（**a**）。

a

# 2 スパゲッティをゆでる

同じフライパンに**B**を入れ、火にかける。煮立ったらスパゲッティを半分に折って加え（**b**）、袋の表示より1分短くゆでる。

# 3 仕上げる

麺のかたさをみてちょうどよければいったん火を止め、①を加えて素早く混ぜ、余熱で火を通す。とろっとしてきたら器に盛り、好みで粗びき黒こしょう（分量外）をふる。

b

動画はココ！

人気のあの味を
めんつゆとポン酢で
もんきち流にアレンジ

# 豚こま
# ルーローハン風

## 材料 （2人分）

豚こま切れ肉…300g
小松菜…½わ
ゆで卵…2個
片栗粉…適量

A
┌ めんつゆ、ポン酢じょう
│ ゆ、水…各大さじ2
│ おろしにんにく、
│ おろししょうが
└ …各小さじ1

ごま油…小さじ2

## 作り方

### 1 下ごしらえをする

小松菜はラップに包んで約1分30秒加熱する。粗熱がとれたら食べやすい大きさに切る。豚肉は1㎝幅に切って片栗粉をまぶす。Aは合わせておく。

### 2 煮絡める

フライパンにごま油を熱し、豚肉を炒める。肉の半分くらいの色が変わったらAとゆで卵を加え、肉の色が変わって汁けが少なくなるまで煮絡める。

### 3 仕上げる

器に温かいご飯（分量外）を盛って②の豚肉をのせ、卵は半分に切って小松菜とともに添える。

小松菜はレンチンすると時短になるよ。豚肉に片栗粉をまぶすと、たれに自然にとろみがついてイイ感じになります。

お好みで五香粉をかけると台湾風の本格的な味になるよ！

\動画はココ！/

# ガツンとにんにくスタミナ丼

## 材料 (2人分)

豚バラ薄切り肉…300g
長ねぎ…⅓本
にんにく…2片
ごま油…小さじ2

たれ
- めんつゆ…大さじ4
- おろしにんにく…小さじ1
- ガラスープの素…小さじ1

## 作り方

### 1 下ごしらえをする

長ねぎは1cm幅の斜め切り、にんにくは
薄切り、豚肉は食べやすい大きさに切る。
たれの材料は混ぜる。

### 2 炒める

フライパンにごま油とにんにくを入れて
火にかけ、香りが立ってきたら豚肉、ね
ぎを炒める。肉の色が変わったらたれを
加えて混ぜ、全体に絡める。器に温かい
ご飯(分量外)を盛ってのせる。

\動画はココ!/

しっかり味つけ+にんにくがきいてご飯が進む!

にんにくたっぷりがポイント
なので、薄切りとチューブの
ダブル使いをぜひ! にんにく
好きな人はもっと増やしちゃ
ってもOKです!

さば缶の缶汁も一緒に入れるから味がしみウマッ

# ワンパンさばカレーパスタ

## 材料 (2人分)

さば水煮缶
　　…2缶(固形量約300g)
小松菜…½わ
スパゲッティ(1.7mm)…200g
水…3カップ
塩…小さじ⅔弱(3g)
カレー粉…小さじ2
バター…10g

> 仕上げの調味は塩でもいいけれど、しょうゆやみそも相性がいいです。さばをゴロッと仕上げるため混ぜすぎないように注意して。

## 作り方

### 1 スパゲッティをゆでる

小松菜は食べやすい長さに切る。フライパンに水と塩を入れて沸かす。スパゲッティを半分に折って入れ、袋の表示より1分短くゆでる。

### 2 具材を足して煮る

さば缶を汁ごと、小松菜、カレー粉を入れて混ぜる。味をみて、足りなければ塩(分量外)で味をととのえ、バターを加えて混ぜる。

＼動画はココ!／

※工程②の前で水分量が多ければ弱火で煮とばす。逆に足りなければ水を足す。

90

ゆかりの酸味と香りはパスタにもばっちり！

# ゆかり風味の
# ワンパン和風パスタ

ゆかりの活用いいね〜。さっぱりして食べやすい！

梅干しを使ってもいいけど、ゆかりだと手軽だよ。お好みで"追いゆかり"しても。めんつゆを白だしにしてもおいしいよ。

### 材料 （2人分）

ハーフベーコン…4枚
なす…2本
長ねぎ…½本
しめじ…⅓パック
スパゲッティ（1.7mm）
　…200g
水…3カップ
めんつゆ…大さじ3
バター…10g
ゆかり…大さじ1
削りがつお…適量
サラダ油…大さじ1

### 作り方

## 1 具材を切って炒める

なすは八つ割りにして長さを半分に、長ねぎは斜め1cm幅、ベーコンは1cm幅に切る。しめじはほぐす。フライパンに油を熱し、ベーコンと野菜を炒める。

## 2 スパゲッティを加える

水とめんつゆを入れ、煮立ったらスパゲッティを半分に折って加える。袋の表示より1分短くゆでる。

## 3 仕上げる

バターとゆかりを混ぜる。器に盛って削りがつおをのせる。

※工程③の前で水分量が多ければ弱火で煮とばす。逆に足りなければ水を足す。

\動画はココ！/

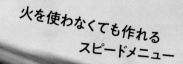

# めんつゆポン酢で
# 明太うどん

明太子には熱々ご飯が王道だけど、うどんに合わせてもおいしいね〜。

バターでコクをプラスするのがポイント。熱々のうどんを入れると溶けるから、調味料と混ぜたときにはバターは溶けてなくて大丈夫だよ。

## 材料 (2人分)

冷凍うどん…2玉
辛子明太子…½腹(約40g)
青じそ…4枚

A
┌ めんつゆ…大さじ2
│ ポン酢じょうゆ
│ …大さじ1
└ バター…10g

刻みのり…適量

## 作り方

### 1 下ごしらえをする
明太子は薄皮を除く。青じそはせん切りにする。ボウルに明太子を入れ、Aを加えて混ぜる(バターは溶かさなくてOK)。

### 2 うどんを加熱する
うどんは熱湯でゆでるか袋の表示どおりに電子レンジで加熱する。

### 3 仕上げる
熱々のうどんを①のボウルに入れて混ぜる。器に盛って刻みのりと青じそをのせる。

\動画はココ!/

# もんきち実家の味
# ドライカレー

ミックスベジタブルを使うと
時短&簡単!

具材を細かく切らなくちゃいけ
ないイメージのドライカレーは
ミックスベジタブルを使うと簡
単だし、いろいろな野菜が入っ
て彩りもよくなるよ。使うひき
肉の種類で味が変わるので、
いろいろ試してみてね!

## 材料 (2人分)

ひき肉
  (牛、豚、合いびきなど
  なんでもOK)…200g
塩…ふたつまみ
玉ねぎ…½個
冷凍ミックスベジタブル…100g
カレー粉、ケチャップ
  …各大さじ2
中濃ソース…大さじ1
水…1カップ
サラダ油…小さじ1

動画は
ココ!

## 作り方

### 1 下ごしらえをする

玉ねぎはみじん切りにして耐熱皿に入れ、
ふんわりとラップをかけて電子レンジで約
2分加熱する。ひき肉に塩をふる。

### 2 炒めて煮る

フライパンに油を熱し、ひき肉を炒める。肉の色が変
わって脂が出てきたらペーパータオルで拭き取り、残
りの材料をすべて入れて弱めの中火で煮る。

### 3 仕上げる

へらでフライパンの底をなぞったとき、線がかけるく
らいの濃度になったら味をみて、足りなければ塩(分量
外)でととのえる。器に温かいご飯適量(分量外)を盛っ
てかけ、好みで卵黄1個分ずつ(分量外)をのせる。

チャーハンは炒めなくても作れるんです!!

動画でバズった炒めないチャーハン! 冷凍もできるのがいいね。

# 炊飯器チャーハン

米に油を混ぜることでパラパラに仕上がるよ。炊き上がってから溶き卵を入れて蒸らすのもポイント! 炊飯器で作るとほったらかしにできるのがいいね。

## 材料 （作りやすい分量）

ツナオイル缶…2缶
長ねぎ…½本
卵…2個
米…2合
ガラスープの素
　　…大さじ1½
粗びき黒こしょう…小さじ1
ごま油…大さじ1

## 作り方

### 1 下ごしらえをする

長ねぎはみじん切りにする。卵は溶きほぐす。米は洗う。

### 2 炊飯器に入れて炊く

炊飯器の内釜に米とごま油を入れて混ぜる。2合のラインよりやや少なめに水（分量外）を加える。ツナを缶汁ごと、ねぎ、ガラスープの素、こしょうを入れ、あれば炊き込みご飯モードで炊く。

### 3 仕上げる

炊き上がったら炊飯器の中に溶き卵を入れて全体を混ぜる。炊飯器のふたを閉めて約10分蒸らし、さらによく混ぜる。

\動画はココ!/

えのきと調味料2つだけ！
熱々ご飯にたっぷりかけて

なめたけが家で
手軽に作れちゃ
うのすごい！

1人100円以内でで
きるのにメチャうまい
よね。お好みで卵黄
をのせて絡めながら
食べてもおいしいよ。

# 無限えのき丼

### 材料 （2人分）

えのきたけ…大1袋（約200g）
ポン酢じょうゆ、めんつゆ
　　…各大さじ4

### 作り方

**1 下ごしらえをする**
えのきは長さを3～4等分に切る。

**2 煮る**
鍋にすべての材料を入れ、火にかける。
えのきに火が通り、全体にとろみがつ
くまで約5分煮る。

**3 仕上げる**
器に温かいご飯（分量外）を盛って②を
のせ、好みで卵黄1個分ずつ（分量外）
をのせる。

\動画はココ!/

酸味はとび、ほっくりとしておいしい!

ポン酢は煮ることで照り焼きのたれのようなソースに変身するよ(関連レシピ:P69豚ロースソテー)

## じゃがいものバタポン

### 材料 (2人分)

じゃがいも…2個(約300g)
バター…10g
ポン酢じょうゆ…大さじ2

\動画はココ!/

### 作り方

**1 じゃがいもをレンジ加熱する**

じゃがいもは大きめのひと口大に切る。耐熱皿にのせ、ふんわりとラップをかけて電子レンジで約4分加熱する。

**2 バターで焼いて仕上げる**

フライパンにバターを溶かし、じゃがいもを焼く。軽く焼き色がついたらポン酢を加え、煮る。

# 玉ねぎのオイポン焼き

### 材料 (2人分)

玉ねぎ…1個
ポン酢じょうゆ…大さじ2
オイスターソース…大さじ1
バター…10g

玉ねぎは事前にレンチンすると火通りがよくなって時短になります。甘みも増しておいしい!

### 作り方

**1 玉ねぎをレンジ加熱する**

玉ねぎは1cm厚さの輪切りにする。耐熱皿になるべく重ならないように並べ、ふんわりとラップをかけて電子レンジで約3分加熱する。

**2 バターで焼いて仕上げる**

フライパンにバターを溶かし、玉ねぎを焼く。両面に焼き色がついたらポン酢、オイスターソースを加え、煮絡める。

\動画はココ!/

ポン酢+オイスターソースでコクをプラス

ごま油とにんにくの風味が
小松菜によく合う

# 小松菜のペペロン炒め

## 材料 (2人分)

小松菜…1わ
にんにく…1片
赤唐辛子(小口切り)
　…½本分
ガラスープの素
　…小さじ1
ごま油…適量

動画は
ココ！

## 作り方

### 1 下ごしらえをする

小松菜は5cm長さに切る。茎は耐熱ボウルに入れてふんわりとラップをかけ、電子レンジで約1分加熱する(葉は生のまま②で加える)。にんにくは薄切りにする。

### 2 炒める

フライパンににんにくとごま油を入れて火にかけ、にんにくが色づいてきたら小松菜、ガラスープの素、赤唐辛子を加え、全体に油がまわってしんなりするまで炒める。

> 小松菜は茎の部分が筋っぽいことがあるのでレンチンすると◎。チンしたあとの水分も一緒に入れて炒めてね。

# こんにゃくの
# 甘辛ガーリック炒め

レンチンでアク抜きすると簡単で味もしみやすい

## 材料 (2人分)

こんにゃく…1枚(約200g)
A [ おろしにんにく…小さじ1
　 焼肉のたれ…大さじ1
　 ポン酢じょうゆ…大さじ1 ]
ごま油…小さじ1
白炒りごま…適量

> こんにゃくはアク抜き済みならそのまま使ってもOK。レンジなら余計な洗い物も減るのでぜひお試しを。

## 作り方

### 1 こんにゃくをちぎってレンジ加熱する

こんにゃくはスプーンなどでひと口大にちぎって耐熱ボウルに入れ、かぶるくらいの水を加える。ふんわりとラップをかけて電子レンジで約3分加熱し、水けをきる。

### 2 仕上げる

フライパンにごま油を熱し、こんにゃくとAを入れて煮絡める。汁けが少なくなったら器に盛り、ごまをふる。

＼動画はココ！／

# 長ねぎのピリ辛煮

オリーブオイルと和の調味料の組み合わせが絶妙

**材料** （作りやすい分量）

長ねぎ…1本
赤唐辛子(小口切り)…½本分
A［ 酒、みりん、白だし、酢…各大さじ1
オリーブオイル…小さじ½

**作り方**

**1 下ごしらえをする**
長ねぎは横に5mm間隔で切り目を入れながら5cm長さに切る。Aは合わせる。

**2 長ねぎを焼いて仕上げる**
フライパンにオリーブオイルを熱し、ねぎを両面に焼き色がつくまで焼く。Aを加えて煮絡め、途中、赤唐辛子を加えて煮詰める。

\動画はココ!/

長ねぎは切り目を入れると中身だけ飛び出すということがないよ。赤唐辛子がなければ仕上げに七味唐辛子をふりかけてもOK!

---

ご飯にのせたり、
そばやうどんに合わせたりしても◎

マヨネーズがめっちゃ合う!

# ちくわ磯辺揚げ

**材料** （2人分）

\動画はココ!/

ちくわ…4本

A［ 小麦粉、片栗粉
　　…各大さじ2
青のり…小さじ2
水…大さじ3

サラダ油…大さじ2〜3

**作り方**

**1 衣を作る**
ボウルにAを入れて混ぜる。

**2 ちくわを揚げ焼きにする**
フライパンに油を熱し、ちくわを①にくぐらせて並べる。全体に焼き色がつくまで転がしながら揚げ焼きにする。器に盛り、好みでマヨネーズ(分量外)を添える。

# はんぺんのガーリックバター焼き

（2人分）

はんぺん…1枚
バター…10g
おろしにんにく、しょうゆ
　…各小さじ1

ふわふわ食感に、
しっかり味が好相性

## 作り方

### 1 下ごしらえをする
はんぺんは食べやすく切る。

### 2 焼いて仕上げる
フライパンにバターとにんにくを熱し、はんぺんを並べて弱めの中火で焼く。両面に焼き色がついたらしょうゆを回し入れる。

動画はココ!

バターじょうゆに、にんにくがきいてクセになる味です。もう1品欲しいというときの副菜やお弁当にも◎。

---

ゆずこしょうがピリッときいてお酒が進む味

# 和風
# カルパッチョ

材料 （2人分）

刺し身(切り落としなどでOK)
　…100g

A
オリーブオイル…大さじ1
ポン酢じょうゆ…小さじ1
ゆずこしょう…少々

## 作り方

### 刺し身と調味料を混ぜる
ボウルにAを入れてよく混ぜ、刺し身を加えてあえる。器に盛り、好みでかいわれ大根(分量外)を散らす。

刺し身の種類はお好みのもので、なんでもOKです。お勤め品をゲットできたら、ぜひ作ってみてください。

動画はココ!

# もんきち夫婦 Q&A 料理編②

フォロワーさんから寄せられた、料理に関するお悩みにお答えします。

## Q 料理がそもそも好きじゃない…。楽しむコツはありますか？

A 調理道具とか食器で気分を上げたり変えたりするのはどうかな。盛る器を変えるだけでもおいしそうな見映えになって、料理を作ったときの喜びや達成感が大きくなるかも。

SNSにアップしてみると「作る」以外の楽しさが見つかるかも。自分が普段、当たり前だと思ってやっていることが、他の人からすれば驚きや学び、もしくは笑いになることがあるよね。

そうだね。「おいしそう！」って一言コメントもらえるだけでもうれしいし、また作ろうって気持ちになる。どんな料理を投稿したら反応がもらえるかな？　って考えるのも楽しいよ。

あとは作ってもらった側がちゃんと感想と感謝を伝えることが大事。そうじゃないと、料理を作る楽しさもやる気もどんどんすり減っていくよね。

そう。感謝は笑顔を増やす大切な要素！

## Q 毎日のごはん作り、メニューのマンネリに困っています

A 毎日のごはん作り、大変ですよね。そういうときはネットやSNSでヒントを探すのもいいと思います。日ごろから料理動画を見るようにするだけでも変わってくるかも。勉強のためとして見ると疲れちゃうから、僕はエンタメと捉えて料理動画を楽しんでいます！

今回のもんきちレシピ本で、この質問をしてくれた方のレパートリーが増えていたら嬉しいな……！　これからも「家族のための男飯 もんきち」のアカウントで毎日のごはん作りに役立つレシピ動画を発信していきます！

## Q 料理をよく失敗する。どうしたらいい？

A 初心者でありがちなのが、「焦がす⇔生焼け」「味が薄い⇔濃い」の２パターン。火加減に関しては、基本的に強火は使わない。だいたいの料理は中火〜弱火で作れます。味に関してはしっかり計量することと、味見をすること。特に初心者は一度だけではなく、過程で何度か味見をすると失敗がうんと減るよ。

味見して何か物足りないな〜というとき、何を足せばいいかがわからないんだよね。

そういうときは「うまみ」を足すといいかも。和風ならかつおだし、中華ならガラスープ、洋風ならコンソメ……。あと実は甘みも大事。「塩気しかないなあ」と感じたら、ひとつまみの砂糖を足すだけで味がととのうことがあるよ。ほかには、みそ汁にみりんを少し入れるのもおすすめ。

# Part 6

\\700万回超えの動画も!/

# もんきち
# バズり飯

もんきちのアカウントで特に人気があった
バズり飯動画のレシピ5点を一挙ご紹介。
各レシピにはQRコードも載っているので、
ぜひバズり動画もチェックしてください〜。

めちゃくちゃ

バズって
ます〜!

# 季節のフルーツモッツァレラ

## 材料 （2人分）

いちご…適量
モッツァレラチーズ
　…1袋（正味約100g）
オリーブオイル、塩、
　粗びき黒こしょう
　…各適量

動画は
ココ！

## 作り方

### 1 下ごしらえをする

いちごは縦半分に切る。モッツァレラチーズはペーパータオルで水けを拭き取ってひと口大にちぎる。

### 2 盛る

器にいちごとチーズを盛り、塩、オリーブオイル、こしょうをかける。

おもてなしにぴったりのおしゃれな一皿

もんきちの動画でバズった「桃モッツァレラ」のアレンジ。いちごのほか、洋梨や柿で作るのもおすすめ！ 生ハムをのせてもおいしいよ〜。

ポン酢効果でとり肉が
やわらかく仕上がる

動画
総再生回数
**693**
万回

# 手羽元の
# さっぱりポン酢煮

フィリピン料理の
「アドボ」は、ポン
酢を使うと味が決
まります！

## 材料 (2人分)

とり手羽元…6本(約350g)
玉ねぎ…1個
じゃがいも…大1個
水…½カップ
サラダ油…小さじ1

たれ
　ポン酢じょうゆ…¾カップ
　砂糖、ガラスープの素
　　…各大さじ1
　おろしにんにく
　　…小さじ1
　粗びき黒こしょう
　　…小さじ½

## 作り方

### 1 下ごしらえをする

手羽元はフォークで全体に穴をあける。ボウルにたれ
の材料と手羽元を入れてもみ込み、しばらくおく。玉
ねぎは縦薄切り、じゃがいもは5mm厚さに切る。

### 2 炒める

フライパンに油を熱し、玉ねぎを炒める。あめ色にな
ったらじゃがいもを加えてさっと炒め、全体に油がま
わったら手羽元をたれごと加え、水も加えて混ぜる。

### 3 煮る

アルミホイルで落としぶたをして約5分
煮る。手羽元の上下を返し、ふたたびア
ルミホイルでふたをして約5分煮る。ア
ルミホイルをはずして煮汁を軽くとばす。

▶動画はココ！

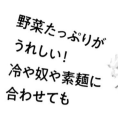

野菜たっぷりが
うれしい！
冷や奴や素麺に
合わせても

# 常備菜にも！
# 山形の『だし』

どうしてとろろ昆
布を入れるの？

本場は「がごめ昆布」を使
うけど、とろろ昆布で代用
してOK！ とろろ昆布のお
かげで、ほどよいとろみが
ついて、ご飯ともよく絡むよ。

## 材料 （2人分）

なす…2本
きゅうり…1本
オクラ…3本
みょうが…2個
青じそ…10枚
ちりめんじゃこ…30g
おろししょうが…小さじ2
とろろ昆布…10g
ポン酢じょうゆ、めんつゆ
　…各大さじ3

## 作り方

### 1 下ごしらえをする

なすは2～3mm角に切って水に約5分さらし、水
けをよくきる。きゅうり、オクラ、みょうが、青
じそも同じくらいの大きさに切る。

### 2 混ぜる

ボウルに①をすべて入れ、残りの材料
を加えて粘りが出るまでよく混ぜる。ラ
ップで落としぶたをして冷蔵室で約1時
間おく。

\動画はココ！/

104

# さば缶で作る冷や汁

### 材料 (2人分)

木綿豆腐…½丁
きゅうり…1本
青じそ…3〜4枚
みょうが…1個
さば水煮缶
　…1缶(固形量約150g)

おろししょうが
　…小さじ2〜お好みで
白すりごま
　…大さじ1〜お好みで
水…1カップ
みそ…大さじ1

### 作り方

**1 下ごしらえをする**
きゅうり、みょうがは薄い小口切り、青じそはせん切りにする。豆腐はひと口大にちぎる。

**2 混ぜる**
ボウルにさばを缶汁ごと入れ、食べやすくほぐす。残りの材料をすべて入れて混ぜる。味をみて、足りなければみそ(分量外)で味をととのえる(濃い場合は水を足す)。

**3 仕上げる**
冷蔵室でしっかり冷やす。好みで氷(分量外)を入れ、熱々のご飯にかける。

動画はココ！

さば缶を使うから手軽！
キンキンに冷やしてどうぞ

食欲がないときや、暑い時期でもサラッと食べられていいね！

さばみそ煮缶を使ってもOK。その場合はみその分量を調整してくださいね。

# レンチンチャーシュー

## 材料 （作りやすい分量）

豚バラブロック肉…500g
塩…ふたつまみ

A ［
焼肉のたれ…大さじ2
ポン酢じょうゆ
　…大さじ1
おろししょうが
　…小さじ1〜1½
］

動画は
ココ！

## 作り方

### 1 下ごしらえをする

豚肉は全体にフォークで穴をあけ、塩をすり込む。Aを混ぜて豚肉によく絡める。

### 2 レンジ加熱する

耐熱皿に豚肉をのせ、ふんわりとラップをかける。電子レンジで5〜6分加熱し、上下を返してふたたびふんわりとラップをかけ、さらに5〜6分加熱する。切ってみて火が通っているか確認し、赤みが残っている場合は追加で約1分ずつレンジ加熱する。

### 3 仕上げる

食べやすく切って器に盛り、耐熱皿に残ったたれをかける。

煮込まなくても
味がしみしみ！

レンチンとは思えないクオリティ！どうしてフォークで穴をあけるの？

肉に穴をあけると味がしみ込みやすくなり、筋も切れてやわらかくなるよ。豚肉は肩ロースなどお好みの部位で作っても。

# もんきち Q&A 一問一答編

こんなときはどうすればいい? もんきちがズバッと答えます!

**Q** 料理初心者です。
何を作ったらよいのかわかりません

**A** 調味料や材料が少ないものから始めるといいと思います。「ねぎまとりチャーシュー」(P54)、「豚キムきゅうり」(P29)などがおすすめ。

**Q** 1人暮らしなので、
少ない材料でいかに品数を増やすか
(基本作り置き)に悩みます

**A** 基本の「とりそぼろ」(P30)を覚えておくと、いろいろアレンジがききます。

**Q** 子どもと作れるメニューが知りたい!!

**A** 「厚揚げ豚巻きの照り焼き」(P26)などは、いかがでしょうか。

**Q** シーズンごとに余ってしまう野菜の
大量消費レシピを教えてください

**A** 「お好み野菜のチーズダッカルビ風」(P70)は野菜整理にもってこい!

**Q** いつも安さに負け、
とりむねを選んでパサつきがち…。
パサつかない裏技が知りたい!!

**A** 強めの火力で一気に火入れをするとパサつきます。できるだけ弱めの火力でじっくり火を通すのがコツ。あと、砂糖をまぶすと保水性が高まります。

**Q** 仕事から遅く帰ってきたとき、時短でおいしく、家にある材料で作れるメニューを教えて。

**A** 「玉ねぎのオイポン焼き」(P96)、「もやしが主役! オムレツ風」(P42)は手軽な材料で作れるし、夜遅くに食べても罪悪感が少ないです。

**Q** 包丁を持ったことのないような夫にも
理解できるレシピが知りたい

**A** ぜひこの本を旦那様に渡してあげてください! Part 2「レンチンラクおかず」など、レンチンレシピがおすすめです。

**Q** これは便利!という調理グッズはありますか?

**A** チョッパー(みじん切り器)や、油はね防止のネットは便利ですよ!

**Q** 分量を計るのが面倒です

**A** 絶対に計ってください。何度か計って感覚をつかんだら目分量で作れるようになります。

**Q** 子どもたち(未就学児)が 喜ぶ食事が作れません。
何か簡単なごはんを教えてほしいです
(料理苦手です)

**A** 「炊飯器チャーハン」(P94)はお子さまに大人気です! バクバク食べたという声がたくさん届いてます。

**Q** たくさんの調味料を揃えるのは大変。
これは汎用性高いよ! というものを
知りたいです

**A** ポン酢じょうゆ、めんつゆは汎用性が高い! もんきちレシピによく登場します。

**Q** 我が家は僕が調理担当で
土日に平日分を作り置きして冷凍するのですが、肉料理でオススメを教えてください

**A** 「ヨーグルトを使わないタンドリーチキン」(P16)がおすすめ。

# 主材料別インデックス

五十音順。●はメイン料理、●は副菜・汁もの、●はご飯・麺・パン料理、●はその他を表しています。

## おわりに

私たちは「家庭料理を作るハードルを下げることで、笑顔を増やしていきたい」
という想いで発信しています。
料理が上達する喜びや、料理を食べた人の「おいしい」という喜び、
そしておいしいと言われた作り手の喜びなど、
料理はさまざまな「笑顔」をもたらしてくれます。

さらに深掘りするなら、普段料理をしない旦那さんが
ちょっとでも料理ができるようになり、キッチンに立つ機会が増えたとしたら……
単に奥さんの家事負担が減るだけでなく、
子どもたちと触れ合う時間が増えるかもしれません。
ストレスも減り、心が優しく、豊かになれます。
そして、それが夫婦円満、家庭円満につながると思っています。
大げさと思うかもしれませんが、
料理にはそれくらいの力があると私たちは考えているのです。

あらゆる価値観が移り変わる時代に、
その時々の「夫婦円満、家庭円満」のあり方を私たち自身も探し続けたい。
今回のレシピ本制作を通して、その想いが一層強くなりました。

出版するにあたって多大なるお力添えをいただいた、
編集担当の山田さんはじめKADOKAWAのみなさま、撮影スタッフのみなさま、
本当にありがとうございました。
料理を学ぶきっかけを与えてくれた両親にも、
この場を借りて感謝を伝えさせてください。
そして何より、「レシピ本出版」という目標を叶えることができたのは、
日頃より応援してくださっているフォロワーのみなさまのおかげです。
今これを読んでくださっているあなたがいるから、この本を出すことができました。
本当に、感謝しかありません。ありがとうございます。

これからもフォロワーのみなさま、そしてこの本を読んでくれた方、
一人ひとりと一緒に笑顔を増やしていく関係性を
築いていくことこそが私たちの夢です。

これからも「家族のための男飯 もんきち」をどうぞよろしくお願いいたします。

もんきち・ゆかこ

## 「家族のための男飯 もんきち」

エコール辻 東京・フランス・イタリア料理マスターカレッジ卒。愛する妻からの「〇〇（食材）でなんか作って～」などのリクエストに毎回全力で応えてごはんを作るSNSアカウントが人気。料理で家族・パートナーを喜ばせたい人や、料理に苦手意識がある人などの背中を押す動画・レシピを発信することをモットーに、誰もが家でマネできるレシピを考案。3月末現在、SNSのフォロワー数は合計約20万人。SNSの動画総再生数は1億回を超える。

公式サイト
https://monkichi-life.net/

TikTok
https://www.tiktok.com/
@fujimon_kitchen

Instagram
https://www.instagram.com/
fujimon_kitchen/

YouTube
https://www.youtube.com/
@fujimon_kitchen/shorts

Twitter
https://twitter.com/
fujimon_kitchen

LINE

QRコードは株式会社デンソーウェーブの登録商標です

撮影　　　　　難波雄史
スタイリング　本郷由紀子
デザイン　　　tabby design
調理スタッフ　好美絵美 三好弥生
校正　　　　　根津桂子 秋 恵子
編集協力　　　結城 歩

# 安食材なのに
# 涙が出るほどおいしいごはん
2023年3月30日 初版発行

著　者　家族のための 男飯 もんきち
発行者　山下直久
発　行　株式会社KADOKAWA
　　　　〒102-8177
　　　　東京都千代田区富士見2-13-3
電　話　0570-002-301（ナビダイヤル）
印刷・製本　凸版印刷株式会社